Werther

Herman
y
Dorotea

Werther

Herman
y
Dorotea

J. W. Goethe

Grupo Editorial Tomo, S. A. de C. V.
Nicolás San Juan 1043
03100 México, D. F.

1a. edición, agosto 2002.

© *The Sorrows of Young Werther*
   Herman And Dorothea
   J. W. Goethe
   Traducción: Luis Miguel Nieto

© 2002, Grupo Editorial Tomo, S.A. de C.V.
   Nicolás San Juan 1043, Col. Del Valle
   03100 México, D.F.
   Tels. 5575-6615, 5575-8701 y 5575-0186
   Fax. 5575-6695
   http://www.grupotomo.com.mx
   ISBN: 970-666-521-8
   Miembro de la Cámara Nacional
   de la Industria Editorial No. 2961

Diseño de portada: Trilce Romero
Supervisor de producción: Leonardo Figueroa

Introducción

Reconocido generalmente como uno de los más grandes y versátiles escritores y pensadores europeos de los tiempos modernos, Johann Wolfgang von Goethe es considerado el escritor más importante de la tradición alemana. Influenció profundamente el crecimiento del romanticismo literario. Mejor conocido por su poesía lírica y la gran influencia de sus novelas, y particularmente por su poema dramático *Fausto*, Goethe también hizo substanciales contribuciones a la biología, historia y la filosofía de la ciencia.

La mayoría de la información sobre su infancia y juventud surge de su autobiografía de seis volúmenes *Aus meinem Leben: Dichtung und Warheit* (1811-1822), traducida como *Memorias de Goethe*. Concebida cuando el autor tenía más de 60 años, mucho después de ser considerado el gran hombre de las letras alemanas, debe apreciarse como la imagen que él mismo escogió de forma por demás intencional para la posteridad. Goethe nació en Francfort del Main el 28 de agosto de 1749. Su madre, Katharina Elisabeth Textor Goethe, era hija del alcalde; su padre era Johann Caspar Goethe, ciudadano de la burguesía alemana (tenía el cargo de jurisconsultor y consejero del imperio), que entregó sus energías a escribir las memorias de su viaje por Italia (en italiano), a patrocinar a artistas locales y, ante todo, a educar a los hijos supervivientes, el futuro poeta y su hermana Cornelia.

Goethe creció en una Alemania dominada por los prejuicios religiosos de la Reforma protestante y atrasada en relación con el resto de Europa, en la que los intelectuales defendían el poder de la inteligencia para descubrir las verdades básicas. Contemporáneo de Mesmer, Cagliostro y la Revolución Francesa, conoció un mundo en que los misterios habían dejado de considerarse inalcanzables para la razón humana y las interpretaciones religiosas se relegaban en favor de la ciencia. Un terreno fértil para alguien que, como Goethe, no habría de respetar más norma que las marcadas por la naturaleza.

Desde la más tierna infancia, su madre procuraba estimular su inteligencia precoz y, según Betina Brentano, cuando le relataba algún cuento infantil, lo interrumpía en lo más importante para que el niño imaginara el resto. Su padre, hombre culto e inteligente, le daba lecciones con regularidad, a una edad en que los demás niños apenas sabían leer. Tenía una gran facilidad para las lenguas. Todo su ambiente, incluidas las amistades familiares, muy selectas tanto en lo social como en lo intelectual, se encargó del resto.

A la edad de cuatro años su abuela le obsequió un teatro de títeres que le creó gran interés por la dramaturgia. Dos años después, sufrió una gran impresión por el terremoto de Lisboa. El sismo, como lo contó en su obra autobiográfica *Poesía y verdad*, lo hizo preguntarse sobre la sabiduría y la clemencia de un dios que deja a merced de tal desastre al justo y al injusto por igual. Por otra parte, su abuelo materno contaba con singulares dotes para interpretar sueños, habilidad que a partir de las experiencias que tuvo Goethe, debió heredar (relata que era capaz de predecir los hechos). En su adolescencia escribía sus ejercicios escolares en forma de novela epistolar, en alemán, francés, italiano, inglés, latín (con algunas notas en griego) y en yiddish (judeo-alemán). En su tiempo libre escribió textos en francés y poemas de diversos tipos. Goethe valoró con gran fuerza para su desarrollo temprano la situación político-social de su lugar de origen, donde el sólido comercio, las ferias anuales, las ceremonias relacionadas con la coronación del sagrado emperador romano y la ocupación francesa durante la guerra de los siete años de 1756 a 1763 le permitieron acceder a una gama de vivencias cosmopolitas.

A la edad de 16 años, Goethe comenzó sus estudios en la universidad de Leipzig, entonces un centro cultural líder. Aquí escribió sus primeros poemas y ejecuciones. En 1770 en la universidad de Estrasburgo vino bajo la influencia de Johann Gottfried von Herder, quien lo introdujo a los trabajos de Shakespeare. En 1771, Goethe recibió una licenciatura en leyes y durante los siguientes cuatro años practicó leyes con su padre y escribió dos trabajos que lo llevaron a la celebridad literaria.

En 1775 fue invitado a la corte ducal de Karl August en Saxe-Weimar, donde mantuvo numerosas oficinas (1775-86) y pasó la mayor parte de su vida. Durante sus primeros años ahí también escribió bellos y misteriosos líricos a Charlotte von Stein, una mujer casada siete años más grande que él.

Durante un viaje de dos años a Italia (1786-88), Goethe reconoció que era un artista y resolvió dedicarse el resto de su vida a la escritura. La decisión no prometía hacer alguien feliz al principio; su regreso a Weimar estuvo seguido por años de enajenación de la sociedad de la corte. Muchos de sus amigos se ofendieron porque vivió con la joven

Christiane Vulpius, quien le dio un hijo en 1789. Para legitimar este niño, Goethe se casó con Christiane en 1806.

Goethe pasó mucho de su tiempo cerca de Jena y desde 1784 hasta 1805 desarrolló una intensa colaboración con Federico Schiller, una unión que muchos juzgan como una cumbre en letras germánicas. Sin embargo, la problemática decisión de Goethe de salir de la vida pública pudo haber sido lo que lo llevó a sus más importantes avances científicos y literarios. Los poderes creativos de Goethe persistieron a través de los años.

En otoño de 1768 Goethe debió regresar a Francfort, víctima de una extraña enfermedad que le causaba violentos vómitos de sangre. Por el consejo de un familiar, recurrió al doctor Metz, personaje misterioso versado en la medicina de Paracelso y en la tradición rosacruz. Metz logró sanarle al administrarle extraños remedios que además le brindaron una vitalidad insólita. Su apoyo primordial durante el año de recuperación fue Susanna Catharina von Klettenberg, una mística pietista. Juntos leyeron literatura neoplatónica e hicieron experimentos de alquimia. A partir de entonces las lecturas de Goethe se extendieron hacia la medicina. Al mismo tiempo se cultivaba con las obras de Shakespeare, Lessing y Rousseau, y siguió la misma línea después de viajar a Estraburgo en marzo de 1770 para finalizar sus estudios legales.

El año y medio de Goethe en Estrasburgo se considera un punto de inflexión en su carrera, aunque los cambios fueron preparados por sus actividades y lecturas del año previo. Estrasburgo era más alemana que Leipzig en un sentido cultural. En esa época Goethe "descubre" la catedral de Estrasburgo y la identificación entusiasta del estilo gótico como alemán. También es importante la amistad que comienza con Friederike Brion, la hija de un pastor de la ciudad de Sesenheim que le inspiró la mayor parte de sus personajes femeninos, incluso el de Margarita, de su drama *Fausto*. Se sabe que ella vivió hasta 1813 y que nunca quiso contraer matrimonio, ya que tras amar a Goethe, dijo que jamás podría querer a otro hombre. Otro paso importante en su carrera es su encuentro con Johann Gottfried Herder, quien le transmitió todo su entusiasmo por la poesía popular, el primitivismo, el trabajo de Johann Georg Hamann, los poemas de Ossian (James Macpherson) y, sobre todo, las novelas de Henry Fielding, Lawrence Sterne y Oliver Goldsmith. A partir de Herder, Goethe se volvió escéptico sobre la validez de los preceptos del clasicismo francés que no estaban sujetos a discusión alguna en Alemania en aquel momento, incluidos los de las tres unidades dramáticas (lugar, tiempo y espacio) que la escuela teatral francesa había tomado del antiguo teatro griego. También le enseñó a apreciar las obras de Shakespeare, en las que las unidades clásicas se reemplazan por el placer de la expresión directa de la emoción.

Si Goethe conservó los mejores recuerdos de su estancia en Estraburgo, no fueron menos agradables los que la ciudad guardó de él. Su turbulenta y reflexiva juventud, su presencia arrogante, su ingenio tan fértil que le hacía jugar siempre el primer papel, ya se tratara de una discusión científica o de una frívola conversación mundana, y sobre todo el extraordinario dominio que tenía sobre los demás, le hicieron el personaje más notable de la ciudad durante el año y medio que pasó en Estrasburgo. Posteriormente habría de suceder lo mismo en todos los lugares que viviera.

En septiembre de 1771 Goethe regresó a Francfort para concluir su carrera en leyes, pero terminó por comenzar una carrera literaria más visible en historia de Alemania. Los cuatro años entre su regreso y su partida a Weimar abarcan el primer florecimiento de este genio y constituyen para muchos críticos el parteaguas de su carrera. Durante este tiempo Goethe empezó a ejercer el derecho tanto en Francfort como en Wetzlar; también hizo reseñas de libros, comprometido en constantes encuentros con amigos literatos, funcionó como el centro del movimiento *Sturm und Drang* (Tempestad e Impulso) y viajó por el Rhin y por Suiza. En Wetzlar en 1772 conoció a Charlotte (Lotte) y se enamoró apasionadamente antes de saber que ella estaba comprometida con su amigo Johann Georg Christian Kestner. "Era de esas mujeres que sin inspirar una pasión violenta, ejercen un encanto invencible sobre todos quienes le rodean", comentó acerca de ella. Goethe llegó a ser amigo íntimo de Charlotte, sin pasar de ahí, pues consiguió alejarse a tiempo y marchó a Francfort, donde se encargó él mismo de la boda de sus amigos, a quienes obsequió el anillo de matrimonio.

En 1774 se vio envuelto en una amistad íntima con Maximiliane Euphorosine von La Roche Brentano, hija de la novelista Sophie von La Roche y futura madre del poeta Clemens Brentano, mientras ella resolvía las dificultades de su matrimonio con Peter Anton Brentano, un rico comerciante de Francfort. Al año siguiente se comprometió con Anna Elisabeth (Lili) Schoeneman, hija de un prominente banquero; aunque le inspiró un gran número de poemas, el compromiso se disolvió en septiembre de 1775, pues los círculos elegantes en los que ella se desenvolvía le parecieron restrictivos para su creatividad artística. Goethe había empezado su carrera como gran personaje y como escritor.

En julio de 1774 hizo un viaje a Düsseldorf con Lavater y Basedow, en el que encontró al filósofo Jacobi. En octubre conoció a Klopstock y todo el invierno estuvo en una relación cercana con la sociedad escogida de Francfort.

Su primera contribución en el periodo 1771-1775 fue provocar la manía por Shakespeare, por lo que el movimiento *Sturm und Drang* fue célebre. Los dramas de los años 70 son de tres tipos: sátiras cortas, la mayoría de 1773, sobre temas culturales y literarios; dramas poéticos incompletos sobre grandes personajes como el César, Mahoma, Prometeo y Fausto, y un grupo de obras de teatro completas de forma más convencional, como *Clavijo* (1774) o *Stella* (1775) y las operetas *Erwin y Elmire* (1775) y *Claudine von Villa Bella* (1776). Estas cuatro obras marcan el principio de una larga serie de operetas en las obra de Goethe.

Los poemas de Goethe de este tiempo establecen nuevas bases para el género de Alemania. Se trata de baladas como *El rey de Thule* (1782), después incluida en *Fausto*; poemas de amor, muchos de los que más tarde fueron musicalizados por Beethoven y Schubert; y poemas ocasionales como la obra maestra *En el lago*, escrita como consecuencia de un viaje en barco por el lago de Zurich el verano de 1775. Finalmente, también están los himnos pindáricos, entre los que se encuentra *Prometeo*.

El trabajo más conocido de Goethe entre 1771 y 1775 es *Penas del joven Werther* (1774). En esta novela paradigmática de la sensibilidad del siglo XVIII, Werther relata en una serie de cartas el discurrir de su amor por Lotte, una joven que está comprometida con un oficial cuando Werther la conoce. Confundido por la amistad que le demuestra Lotte, pero sobre todo por su misma imaginación —que proyecta con Lotte todos los ideales recopilados por la lectura de Homero, Goldsmith y Ossian—, Werther poco a poco pierde contacto con el mundo a su alrededor. La novela está basada en la relación de Goethe con Charlotte Buff y su prometido, y el suicidio por amo le dio la pauta para la muerte de Werther. Tan importantes como la experiencia propia para el relato, son sus experiencias literarias: la novela epistolar sensible de Samuel Richardson, pasando por Rousseau alcanza el cenit en esta novela. A través de la pasión de Werther se cuestiona el modelo básico de subjetividad del siglo XVIII. De igual manera que tiene los mismos conflictos y tormentos en su relación con Charlotte, Werther también sufre en su relación con Dios. A través de la angustia destructiva de Werther consigo mismo, Goethe hace un comentario penetrante de la introspección efusiva de la conciencia del siglo XVIII. Acotando la forma con dramatismo, componiendo con una estructura rígida pero simétrica, incorporando material extranjero con traducciones de Ossian, insertando narraciones subordinadas y en especial permitiendo la aparición de un narrador en tercera persona que interrumpe el flujo de las cartas, Goethe logró a la vez que la tradición epistolar llegara a la cúspide y a un final. La novela hizo de Goethe una celebridad en Europa. Para su disgusto fue malinterpretada para glorificar, en lugar de críticar, la melancolía de la época; él revisó la obra con profundidad en la edición de 1787 y es la versión que se lee en nuestros días. Durante toda su vida, e incluso más tarde, *Las penas del joven Werther* fue el trabajo por el que Goethe fue conocido en el mundo fuera de Alemania y sólo *Fausto* ha llegado a captar atención similar.

En 1776 obtuvo el derecho de ciudadanía y se le asignaron responsabilidades administrativas en el ducado. La mayor parte de su tiempo Goethe viajaba, tanto por razones oficiales como para acompañar al duque. Realizó de igual manera dos viajes de interés literario: a las montañas de Harz en 1777 y a Suiza en otoño de 1779. En el segundo fue acompañado por una pequeña comitiva y al regresar, de paso por Stuttgart, conoció a Schiller, que estudiaba en la Academia, y en presencia de Goethe se le otorgó un premio. El regreso a Weimar, el 13 de enero, marcó el inicio de una nueva etapa de su existencia. El periodo de genio y excentricidad había llegado a su fin, y empezado otro de orden y regularidad.

La vida de Goethe no era completa en ningún momento sin la influencia de un corazón femenino. Esto lo halló poco después de su regreso a Weimar, en Charlotte von Stein, dama de la élite, esposa de un oficial, el caballerizo mayor de la corte. Tenía al momento 33 años y siete hijos. Las cartas dirigidas a ella abarcan un periodo de 50 años. Hasta su viaje a Italia le comunicó cada una de sus acciones, cada pensamiento, toda la labor de su cerebro, sin cortapisa alguna. Esta mujer, de naturaleza enfermiza y no muy favorecida por la hermosura, poseía, sin embargo, no sólo las nobles formas de una legítima aristócrata, sino también una extraordinaria profundidad de sentimiento, una educación fuera de serie y un gran talento.

Tal relación dominó su vida emocional y le transformó de un ferviente seguidor del movimiento *Sturm und Drang* a un reservado cortesano en sus últimos 40 años. Humanidad, virtud y autocontrol eran las palabras claves para definir el código de comportamiento de su relación. A principios de la década de los 80, Goethe estaba encargado de las minas, carreteras, guerra y finanzas; en 1782 el duque le dio el tratamiento de nobleza (le permitió añadir "von" a su nombre).

Tan importante para su futuro desarrollo como nuevo trabajo y relaciones personales fue el aumento de sus intereses intelectuales en Weimar; por primera vez se sintió interesado en las ciencias. Igual que cuando estudió alquimia, su interés se extendió a través de la lectura en la experimentación; pero a diferencia de la alquimia sus trabajos en geología, anatomía y botánica no sólo tuvieron

resultados literarios, sino que fueron origen de descubrimientos y publicaciones científicas.

Durante este periodo escribió muchas de sus más reco-
nocidas baladas y poemas de amor, así como libretos de
óperas y sátiras ocasionales para la diversión de la corte. De
esta época son *Egmont* (1788), drama en prosa; *Torquato Tasso*
(1789), en verso; *Ifigenia de Tauris* (1787), y empezó a trabajar en *Fausto*, tras lo que apareció una parte titulada *Fragmento*
(1790). Estas obras llevaron a la literatura alemana la disci-
plina de ideas y formas que dio inicio al así llamado periodo
clásico.

También compuso obras para el teatro de aficionados,
que sustituía al teatro real y verdadero. La escena era en
ocasiones al aire libre y los asientos se colocaban en pleno
prado. Los actores eran la duquesa madre y sus hijos, la
servidumbre y los oficiales de palacio, las damas de cámara
y los pajes. Goethe interpretaba de maravilla los papeles
cómicos; en la tragedia de altos vuelos, como en su *Orestes*,
le iba mejor la dignidad de la escena antigua. Museus, di-
rector de la escuela pública, se lucía en la comedia; Knebel
representaba los dignificados héroes.

Sometido a mucha presión, Goethe optó por realizar un
viaje por toda Italia y no volvió a Weimar hasta 1788. Varias razones le llevaron a ese país: la frustración de su
relación con Charlotte von Stein y, ante todo, la necesidad
de nuevas sensaciones sobre las cuales levantar sus futuros
escritos. De esta experiencia surge *Viaje por Italia*, cuyas ano-
taciones aparecieron en 1828. En sus reflexiones de Italia y
sus vivencias en ese lugar, sus intereses y desarrollos logra-
ron articularse. Siempre uno de sus mayores deseos había
sido completar su educación con una estancia en Italia. Para
Goethe significó un renacimiento no sólo en una nueva vida,
sino en lo que habría de convertirse: en muchos niveles se

trató de un viaje de autodescubrimiento. Pero no fue un trayecto hacia su interior, sino que su principal objetivo fue
observar lo que le rodeaba: objetos, plantas, personas, costumbres... (pero nunca los sentimientos o preocupaciones
políticas), la arquitectura, esculturas e incluso la pintura.

Su Italia fue la del renacimiento, que incluía la antigua
Italia romana. Dedicó muchas horas a los estudios históri-
cos y, sobre todo, a las grandiosas obras de Miguel Ángel.
Como fruto de ese viaje amplió en gran manera la esfera
de sus concepciones artísticas y enriqueció su inteligencia con incalculables tesoros; durante el mismo, realizó la
función de *Ifigenia*, de *Egmont* y de varios dramas líricos
de sus primeros tiempos, y adelantó de forma importante
la del *Tasso* y esbozó nuevos proyectos, entre los cuales se
halla *Nausikaa*.

Goethe regresó a Italia, tal como expresó, convertido en
un artista. Karl August le liberó de sus obligaciones, a excepción de la dirección del Teatro Ducal, que se estableció
oficialmente en 1791, de las bibliotecas y de las colecciones
históricas naturales y artísticas del ducado, incluida la de la
Universidad de Jena. El poeta tuvo otra vez trastornos y
sufrió resentimientos debidos al cambio que había tenido
su persona y a su decisión de ir a Italia solo y en secreto. El
más grave de los percances fue la ruptura con la señora von
Stein, quien no pudo perdonarle el abandono y que Goethe
empezara una relación (sin casarse) con Christiane Vulpius,
con quien tuvo varios hijos, aunque sólo uno de ellos, Julius
August Walther, nacido en 1789, sobrevivió. Se conocieron
cuando ella se presentó en actitud suplicante en favor de su
hermano, el autor de *Rinaldo Rinaldini*, en el parque de
Weimar y le cautivó con el encanto de su lozana juventud
y su hermosura. Se casaron en 1806, aunque ello no mermó
las opiniones negativas y el rechazo que su relación provocó.

La persistencia en esta tesitura conflictiva se explica por el enorme fervor que sentían el uno por el otro y la distancia que Goethe mantuvo con los de su círculo.

Otra área de principal importancia fue el arte. El desarrollo más académico de sus intereses se mostró en su nueva amistad con el educador y estadista Wilhelm von Humboldt y con el historiador de arte Hans Meyer; vivió en casa de este último, a quien conoció en Italia, de 1791 a 1802.

La Revolución Francesa fue un hecho político con el que inevitablemente Goethe chocó, no sólo por el interés que despertó en todos los aspectos, sino porque el duque, que se había unido al ejército prusiano, insistió en que Goethe lo acompañara en sus campañas a Francia en 1792 y por el Rhin en 1793; combatió en Valmy, tuvo que aceptar una vergonzosa derrota y la correspondiente retirada.

Escribió comedias antirrevolucionarias mediocres, como *Entretenimientos de emigrados alemanes*, el cuento *La fábula* y un bestiario medieval, en hexámetros, titulado *El zorro Reineke* (1794). Goethe reflejó sus impresiones sobre la revolución en sus obras: *La campaña de Francia de 1792* y *Sitio de Mainz*, ambas publicadas en 1822. Continuó con sus estudios de óptica y arte, mientras seguían sus campañas en el ejército; su rechazo a involucrarse en actividades militares le permitió presentar una realidad clara en la actividad cotidiana.

En la década de los 90 su producción literaria fue un tanto cuanto escasa. 1794 marca el principio de la amistad de Goethe con Schiller. Schiller había ido a Jena en 1789 como profesor de historia por una cita arreglada con Goethe, pero el viejo poeta había tenido dos razones para conservar las distancias con el recién llegado: no sólo porque Schiller había ganado su reputación como poeta del *Sturm und*

Drang una década después de que Goethe hubiera dejado el movimiento, sino porque en fechas recientes había dejado la poesía para concentrarse en Kant.

Hasta 1794 después de una lección en Jena se produjo una conversación que les enlazó en una fructífera amistad. Los dos genios, aunque en fases literarias distintas, se desarrollaron a tal grado que llegaron a compenetrarse. Su íntima amistad, que no consiguió enfriar la envidia de Kotzebue y otros, fue una bendición para los dos. El uno al otro se sometían con detalle hasta sus más pequeños planes y se cedían los asuntos con generosidad si veían que convenía más al talento de uno que al del otro.

Su excitación y productividad surgían no sólo de su amistad, sino también de la emergencia simultánea, bajo la supervisión de Goethe, de la Universidad de Jena como el mayor centro de Alemania para el estudio de la filosofía y las ciencias. Llevados a Jena por su presencia y por la presencia de Goethe en Weimar estuvieron ahí los más grandes románticos: August Wilhelm y Friedrich Schlegel, Ludwig Tieck, Clemens Brentano, Novalis (Friedrich von Hardenberg), Friedrich Hoelderlin y Heinrich von Kleist. También hicieron visitas constantes Wilhelm von Humboldt y su hermano, el naturalista Alexander von Humboldt.

También invirtió mucho tiempo en el teatro cortesano, dirigiendo y enseñando a la compañía el gran repertorio moderno creado por Mozart, Lessing, Schiller y por él mismo, y también obras clásicas, desde los griegos, pasando por Shakespeare y Racine. Más que en Francfort en los setentas, Goethe estaba en el centro de la vida intelectual de Alemania. Su producción poética es grandiosa. Realizó ensayos teóricos de arte y literatura, hizo traducciones de obras de Madame de Stael, Denis Diderot, Benvenuto Cellini y Voltaire, una secuela de *La flauta mágica* de Mozart, y un

drama sobre la Revolución Francesa, *La hija natural* (1804).
Goethe creó una serie de piezas maestras que marcan la
pauta de casi toda la poesía lírica, el drama y la prosa na-
rrativa del siglo XIX.

Además de su producción poética personal, Goethe y
Schiller escribieron una larga colección de epigramas
satíricos titulados *Xenias* (1796) y una serie de baladas fa-
mosas. Goethe continuó su estudio y práctica de los metros
clásicos con un conjunto de elegías, *Achilleid* (1808), un fragmento de hexámetro de la muerte de Aquiles. Sin embargo,
su trabajo más importante en este género es *Herman y Dorotea*
(1798), un idilio en hexámetros en nueve cantos. Versa sobre el hijo de un posadero de un pequeño poblado alemán
que corteja a una refugiada de Francia, y constituye la respuesta poética más importante de Goethe hacia la
revolución. Al mismo tiempo, su delicada doble visión iró-
nica, en la que los caracteres aparecen a la vez limitados
como integrantes de la burguesía alemana y como figuras
homéricas, hace de este poema el paradigma del clasicismo
de su autor.

En los primeros días del nuevo siglo, Goethe sufrió un
serio ataque de escarlatina. Sus amigos llegaron de hecho a
temer por su vida. La señora von Stein recordó a su olvidado amigo y le cuidó como una madre.

Después del restablecimiento, planeó una obra, en forma de trilogía con el tema de la Revolución Francesa, de la
que sólo quedó terminada la primera parte. La historia era
verídica y se refiere a una de las princesas de la casa francesa de los Conti. El drama está escrito con la belleza completa
del estilo de Goethe y algunos pasajes y efectos son dignos de
su inmenso talento. Pero en términos generales decae. Tiene
la cualidad que en un drama es un defecto: demasiada

universalidad en el tratamiento. La obra se estrenó en Weimar el 2 de abril de 1803.

A principios de 1805 Goethe no tenía duda de que Schiller y él morirían en ese año. En enero ambos cayeron enfermos; Schiller había terminado *Fedra* y empezaba a trabajar en *Demetrio*. Goethe estaba traduciendo una obra de Diderot: *Neveu de Rameau*. Schiller fue el primero en recuperarse y al visitar a Goethe en su lecho de enfermo, lo estrechó entre sus brazos y le besó con una emoción intensa. El 29 de abril se vieron por última vez. Schiller se encaminaba hacia el teatro, pero Goethe no pudo ir con él, pues se sentía débil al extremo. Schiller murió el 9 de mayo y nadie se atrevía a darle la noticia a su gran amigo. Él mismo se percató de que algo grave había pasado al ver el semblante de las personas a su alrededor.

La defunción de Schiller, su gran compañero y amigo, y la derrota de los prusianos en Jena en 1806 marcan otro punto definitorio en la vida de Goethe, que vivió un periodo de desilusión, ya que se sentía aislado. La concentración de los intelectuales alemanes en la Universidad de Jena poco a poco desapareció, tras lo cual los lazos con la joven generación romántica pasaron a conservarse a larga distancia. No obstante, durante los siguientes 13 años Goethe continuó sus actividades en arte, historia, ciencia y literatura. Mantuvo su interés por el arte clásico, escribió una biografía de Philip Hackert (1811), un artista a quien conoció en Italia, y tuvo mucho interés por los talentos emergentes de Caspar David Friedrich y Philipp Otto Runge.

Goethe trabajó con firmeza durante los cinco años posteriores a la muerte de Schiller en su obra *La teoría de los colores* (1810), a la que él a veces denominaba su trabajo más importante. Consistía en tres partes: una exposición de su propia teoría del color, una polémica contra la teoría de Newton que opinaba que la luz blanca es la suma de todos los colores y un conjunto de materiales sobre la historia de la teoría de color desde la antigüedad hasta ese momento.

Al igual que en arte, el gusto de Goethe por la literatura se mantuvo abierto a la influencia romántica; a su interés por Shakespeare y Calderón, añadió la épica medieval alemana de *Nibelungenlied*. También siguió el trabajo de la nueva camada de poetas, dentro y fuera de su país, con gran interés. En el teatro produjo una serie de obras de Calderón; además escenificó obras de jóvenes dramaturgos románticos como Heinrich von Kleist y Zacharias Werne. Siguió escribiendo mascaradas para la corte, pero sólo produjo un gran trabajo dramático: *Pandora* (1810).

La esposa de Goethe murió en 1816; al siguiente año su hijo August se casó con Ottilie von Pogwish, que entonces llevó la casa que la pareja compartía con Goethe. También en 1817 el poeta dejó la dirección del teatro de la corte después de 40 años de supervisión de la vida teatral en Weimar. En la celebración de ese año del levantamiento de Wartburg, una expresión del sentimiento liberal y nacional alemán, Goethe se vio más y más alienado de las aspiraciones políticas de sus compatriotas más jóvenes. Pasó los últimos años de su vida como un monumento vivo, sentado para retratos y bustos, así como recibiendo continuas visitas de los jóvenes intelectuales de todas partes. Esta impresión cobra más fuerza por sus actividades autobiográficas en la última década.

Pero no sólo se dedicó a fijar la imagen de una gran personalidad. Leyó muchísimo y sobre gran variedad de temas: autores clásicos, Shakespeare, Calderón, sus amados novelistas ingleses y escritores coetáneos como Lord Byron, Alessandro Manzoni, Sir Walter Scott y Víctor Hugo. Entre 1817 y 1824 publicó ensayos de diversos temas científicos.

Pero también completó dos de sus trabajos más grandes: *Los viajes de Wilhelm Meister* (1821), *The Renunciants* (1827) y *Fausto* parte II (1832).

Durante el último periodo colaboró en la revista *Arte y antigüedad* y siguió la trayectoria de Balzac, Manzoni y Stendhal; estudió la poesía china y a Dante.

El 22 de marzo de 1832, menos de dos meses después de hacer la última revisión de *Fausto*, Goethe murió, con toda seguridad de un ataque al corazón, en compañía de su nuera Ottilie cuando acababa de decir: "Abrid los postigos para que entre más luz". Cabe preguntarse si el genial escritor fue un hombre feliz. Él mismo reconoce: "Mi vida ha sido el interminable danzar de un guijarro que una y otra vez quiso ser levantado".

Werther

He reunido con cautela todo lo que he podido acerca del sufrido Werther y aquí se los ofrezco, pues sé que me lo agradecerán; no podrán negar su admiración y simpatía por su espíritu y su carácter, ni dejarán de liberar algunas lágrimas por su triste suerte.

¡Y tú, alma sensible y piadosa, oprimida y afligida por iguales quebrantos, aprende a consolarte en sus padecimientos! Si el destino o tus errores no te permiten tener cerca a un amigo, que este libro pueda suplir su ausencia.

Libro Primero

4 de mayo de 1771

¡Cuánto me alegro de haber marchado! ¿Qué es, amigo mío, el corazón del hombre? ¡Dejarte, cuando tanto te amaba, cuando era tu inseparable, y hallarme bien! Sé que me perdonas. ¿No estaban preparadas por el destino esas otras amistades para atormentar mi corazón? ¡Pobre Leonor! Pero no fue mi culpa. ¿Podía pensar que mientras las graciosas travesuras de su hermana me divertían, se encendía en su pecho tan terrible pasión? Sin embargo, ¿soy inocente del todo? ¿No fomenté y entretuve sus sentimientos? ¿No me complacía en sus naturalísimos arranques que nos hacían reír a menudo por poco dignos de risa que fueran? ¿No he sido…?

¿Pero qué es el hombre para quejarse de sí? Quiero y te lo prometo, amigo mío, enmendar mi falta; no volveré, como hasta ahora, a exprimir las heces de las amarguras del destino; voy a gozar de lo actual y lo pasado como si no existiera. En verdad tienes mucha razón, querido amigo; los hombres sentirían menos sus trastornos (Dios sabrá por qué lo hizo así) de no ocupar su imaginación con tanta frecuencia y con tal esmero en recordar los males pasados, en vez de en hacer soportable lo presente.

Te ruego digas a mi madre que no olvido sus encargos y que en breve te hablaré de ellos. He visto a mi tía, esa mujer que goza de tan mala reputación en casa, y está muy lejos de merecerme mal concepto: es vivaracha y apasionada, tal vez, pero de estupendo corazón. Le expliqué todo lo relacionado con la retención de la parte de herencia de mi madre y ella me externó las razones que tenía para actuar así, me dijo las condiciones por las que estaba dispuesta a entregarme no sólo lo que se le pide, sino más. En fin, por hoy no me extenderé en este tema; dile a mi madre que todo estará bien. Estoy convencido de que la negligencia y las discusiones producen en este mundo más daños y trastornos que la malicia y la maldad. Por lo menos, éstas no abundan tanto.

Estoy aquí en la gloria. La soledad en este país encantador es el bálsamo perfecto para mi corazón, tan dado a las emociones fuertes; y la estación del momento, en la que todo se renueva y rejuvenece, derrama sobre él un suave calor. Cada árbol, cada seto, es un ramillete de flores; le dan a uno ganas de volverse abejorro o mariposa para sumergirse en el mar de perfume y respirar el aromático alimento.

La ciudad en sí es desagradable, pero en sus cercanías, en cambio, la naturaleza hace gala y ostentación de bellezas inefables. Esto fue lo que movió al difunto conde de M*** a plantar un jardín en uno de estos oteros que con gran variedad forman los valles más deliciosos. El jardín es muy sencillo y en cuanto se entra en él, se nota que no se trazó por una mano de hábil jardinero, sino por un corazón sensible que quería deleitarse. Mucho he llorado al recordarle en las ruinas de un pabellón que era su retiro predilecto y que también se ha hecho el mío. Pronto será el dueño del jardín; estoy aquí desde hace pocos días y el jardinero siempre se muestra muy atento y afectuoso conmigo. No lo perderá.

10 de mayo

Semejante a una de esas suaves mañanas de primavera que dilatan mi corazón, priva en mi espíritu una gran serenidad. Estoy solo y gozo y me regocijo de vivir en estos sitios, creados para almas como yo.

Me siento tan feliz, amigo mío, estoy tan absorto en el sentimiento de una plácida vida, que hasta mi talento resiente su efecto. Mi pincel y mi lápiz no podrían trazar hoy la menor línea, dibujar el menor rasgo, y no obstante, jamás me he sentido tan gran pintor como hoy.

Cuando los vapores de mi querido valle suben hasta mí y me rodean, y el sol en la cima lanza sus abrasadores rayos sobre las puntas del bosque oscuro e impenetrable, y tan sólo algún dardo de fuego puede penetrar en el santuario, tendido cerca de la cascada del arroyo, sobre el menudo y espeso césped, descubro otras mil hierbas desconocidas; cuando mi corazón siente más cerca ese numeroso y diminuto mundo que vive y se desliza entre las plantas, ese hormigueo de seres, de gusanos e insectos de especies tan diversas de formas y colores, siento la presencia del todopoderoso que nos creó a su imagen, y el hálito del amor divino que nos sostiene, flotando en un océano de eternas delicias.

¡Oh, amigo! Cuando ante mis ojos aparece lo infinito sintiendo el mundo reposar a mi alrededor, y tengo en mi corazón el cielo, como la imagen de una mujer querida, dando un gran suspiro, exclamo: "¡Ah, si pudieras expresar, estampar con un soplo sobre el papel lo que vive en ti con vida tan poderosa y tan ardiente; si tu obra pudiera reflejar tu alma, como ésta es el espejo de un Dios infinito..."Pero, ¡ay, querido amigo! Me pierdo, me extravío y sucumbo bajo la imponente majestuosidad de esta visión.

12 de mayo

No sé si por estos lugares se pasean hechiceros espíritus o si un delirio del cielo llena mi pecho, porque todo lo que me rodea me parece un paraíso. A la entrada de la ciudad hay una fuente… una fuente a la que me encuentro adherido, como por encanto, igual que Melusina y sus hermanas. A la falda de una pequeña colina, se puede ver una bóveda; se bajan 20 escalones y se ve saltar el agua más pura y transparente de los peñascos de mármol. La pequeña pared que forma su recinto, los árboles, que techan con su sombra la frescura del lugar, todo esto tiene un no sé qué atractivo y desconsolador al mismo tiempo; y no pasa un día que deje de descansar ahí una hora. Las mozas vienen a buscar agua; ocupación inocente y pacífica, que no desdeñaban en otros tiempos las hijas de los reyes. Cuando ahí estoy sentado recuerdo una vida patriarcal; rememoro que nuestros antepasados a la vera de la fuente creaban sus relaciones; que ahí era adonde iban a hablarles de amor; que alrededor de las claras fuentes revoloteaban y jugueteaban incesantes mil genios bienhechores.

¡Oh! Si hay alguien incapaz de sentir aquí lo que yo siento, es que no ha probado el placer de la suave frescura de una fuente, después de una larga jornada por un camino árido y vacío, bajo los ardientes rayos de un sol que quema.

13 de mayo

Preguntas si debes mandarme los libros. ¡En nombre del cielo, mi buen amigo, te suplico que no permitas que se acerquen a mí! No quiero ya ser guiado, animado, inflamado; este corazón arde ya bastante por sí mismo; lo que más necesito son cantos que me adormezcan, que me arrullen y en mi Homero rebosan.

¡Cuántas veces he tenido que calmar mi sangre, lista a enardecerse e inflamarse! No es posible que hayas visto algo tan desigual, tan inquieto como este corazón; ¿pero tengo necesidad de decírtelo, a ti, mi amigo, que has sufrido tantas veces al verme pasar, a menudo, de una negra preocupación a una loca extravagancia; de una dulce melancolía al ardor de una pasión? Así gobierno a mi pobre corazón como trataría un niño; le dejo pasar todos sus caprichos. No vayas a repetirlo, que hay quienes harían un crimen de esto.

15 de mayo

Las buenas gentes de la localidad me van conociendo y me quieren, sobre todo los niños. Al principio, cuando me acercaba a ellos y les hacía algunas preguntas con cariño, imaginaban que quería burlarme y me contestaban con brusquedad, casi brutalmente.

No me enojaba por eso, pero no dejé de sentir vivamente la verdad de una observación que antes había hecho: que ciertas personas de alta sociedad se apartaban de sus inferiores, como si el acercarse a ellos o dejar que se les acercaran debiera robarles la dignidad; y algunos casquivanos o majaderos se divierten y complacen en fingir familiaridad con el vulgo para hacerle sentir después su desprecio de manera asertiva.

Sé que no todos somos iguales ni podemos serlo; pero sostengo que quien se crea obligado a alejarse de lo que se llama el pueblo para mantenerlo respetado, no vale más que el cobarde que se oculta del enemigo, por miedo a que se le venza. Al venir uno de estos días a la fuente, encontré ahí a una jovencita que, luego de haber llenado su cántaro, lo había puesto en la escalera y veía hacia todos lados para

ver si encontraba a alguna compañera que le ayudara a su-
birlo a su cabeza. Bajé las escaleras y le dije a los ojos.

— ¿Quiere ayuda, señorita?

Se puso más encarnada que la grana y sólo atinó a decir:

— ¡Oh, señor…!

— ¡Vamos, vamos dejémonos de cumplidos! —repliqué.

La chica arregló su rodete sobre la cabeza, le puse el
recipiente y muy agradecida subió las escaleras de la fuente.

17 de mayo

Conozco mucha gente, pero no tengo compañeros. No
sé qué atractivo pueda haber en mi trato con los hombres;
muchos me muestran afecto y hasta se complacen con mi
amistad, pero veo siempre con pena que nuestros caminos
difieren y no tardo en alejarme.

Si me preguntas cómo son las personas de este país, diré
que iguales a todas. ¡El género humano es una cosa tan
monótona! Casi todos trabajan la mayor parte del tiempo
para vivir y su poco tiempo libre les pesa de tal modo, que
buscan con ahínco el medio de usarlo en algo. ¡Oh, destino
del hombre!

Sin embargo, estas personas son bienintencionadas. A
veces, me olvido de mí y acudo a gozar con ellos los extraños placeres que a los mortales se conceden. Ya me siente
en una mesa bien provista, en la que reinan cordialidad y
alegría; ya demos un paseo en coche o improvisemos algún
baile, cuando se presenta la ocasión propicia, sin preparati-
vos de ningún tipo, esto me produce los mejores efectos;
sólo que entonces es necesario olvidar y no recordar que
hay en mí una gran cantidad de facultades latentes, que me
veo obligado a ocultar con el mayor cuidado. ¡Ah, esto

me oprime el corazón en alto grado! ¡Y sin embargo... no
tener comprensión es nuestro destino!

¡Ah! ¿Por qué no existe ya la amiga de mis años mozos o
por qué llegué a conocerla? Debería decirme "estás loco;
buscas lo que no hallarás nunca". Pero la verdad es que he
tenido esta amiga, que ha sentido latir ese corazón; que he
conocido esa alma grande en cuya presencia me parecía ser
más de lo que era, porque era todo lo que podía ser. ¡Santo
Dios! ¿Había entonces una sola facultad de mi alma que estuviera ociosa? ¿No podía desentrañar con ella esa grande
sensibilidad con que mi corazón abraza la naturaleza entera? ¿No era nuestro trato un cambio continuo de las
sensaciones más delicadas, de los rasgos más expresivos,
del espíritu más refinado, cuyas modificaciones todas, hasta en la impertinencia, llevaban marcado el sello del genio?
Y ahora... ¡Ah! ¡Era mayor que yo y se me anticipó al sepulcro! Jamás la olvidaré; jamás olvidaré su juicio recto y firme,
y menos aún su divina indulgencia.

Hace algunos días encontré al joven V***. Sus facciones
son francas y simpáticas. Precisamente recién salió de la
universidad y si no se cree un sabio, está convencido, al
menos, de que destaca su conocimiento del de los demás.
Le he probado en diferentes materias y contesta bien; en
una palabra, no carece de instrucción. Cuando supo que
dibujaba mucho y que conocía el griego (fenómeno en este
lugar), no me dejó un momento; me dio a conocer toda su
erudición, desde Batteux hasta Wood, desde Piles hasta
Winkelman. Me aseguró que había leído toda la primera
parte de la teoría de Sulzer y que tenía un manuscrito de
Heyne sobre el estudio del arte antiguo. Lo felicité por ello
y seguí adelante.

Otro buen hombre que conozco es el mayordomo del
príncipe, sujeto franco y honesto. Se dice que es una gloria

verle en medio de sus nueve hijos. Parece que su hija mayor llama la atención más particularmente. Me ha dicho que vaya a verlo y pienso ir un día de estos. Vive en un pabellón o lugar de caza del príncipe a legua y media de aquí. Tras la muerte de su mujer obtuvo permiso para ir a vivir allá, pues el bullicio y la vida citadina, y sobre todo la vista de su hogar, sólo aumentaban su dolor. En cambio, en mis excursiones he hallado algunas caricaturas, entes muy empalagosos, cuyo trato y sus agasajos no soporto. Adiós. Ésta es una carta escrita exclusivamente para ti; no es más que una historia.

22 de mayo

La vida humana se reduce a un sueño, esto es lo que muchos han creído, y tal idea no deja de perseguirme. Cuando me detengo a pensar en los estrechos límites en que están circunscritas las facultades activas e intelectuales del hombre; cuando veo acabarse todos sus esfuerzos por satisfacer algunas necesidades que no tienen más intención que prolongar la desgraciada vida; que toda nuestra confianza o tranquilidad sobre ciertos puntos de la ciencia, es sólo una resignación fundada sobre quimeras y ensueños, y producida por esta ilusión que cubre las paredes de nuestra prisión con pinturas diversas y perspectivas de luz; todo esto me deja mudo, amigo Guillermo. Me reconcentro y encuentro en mi ser todo un mundo; pero un mundo fantástico, creado por presentimientos, por deseos sombríos, en el que no se halla ninguna acción viva. Todo nada, todo flota ante mí, cubierto de una espesa nube y yo me adentro en ese caos de ensueños con una sonrisa en la cara. Pedagogos, maestros, todos acuerdan que los niños no saben lo que quieren; pero que también nosotros, niños grandes, damos traspiés por este mundo sin saber de dónde procedemos o adónde nos

dirigimos; lo mismo que los pequeños, obramos sin intención; igual que los niños nos dejamos llevar por golosinas
de diferentes tipos o por el castigo; esto es lo que nadie quiere
creer, ni convenir en ello; y según yo es, sin embargo, una
cosa evidente.

En fin, concedo gustoso (porque sé lo que vas a contestar) que los venturosos sean aquellos que, como niños, viven
al día, llevan su muñeca de un lugar a otro, la visten, le
quitan la ropa, pasan y repasan respetuosos delante del ca-
jón donde mamá tiene las golosinas y que cuando saborean
alguna lo hacen ansiosos y a gritos piden más.

Pues bien, sí, ¡he ahí criaturas afortunadas! ¡Venturosos
también los que bautizan con un nombre pomposo o un título imponente sus fútiles ocupaciones e incluso sus mismas
pasiones, para presentarlas al género humano como obras
gigantescas, emprendidas para traerle mayor prosperidad
o para salvarle! Por mi parte, repito: buen provecho tengan,
tanto ellos como los que quieran o puedan creer como ellos.
Pero el que en su humildad reconoce lo inútil de todas esas
vanidades; el que ve al hombre acomodado arreglar su jardín
como un paraíso, y al mismo tiempo ve pasar a un desgraciado
jornalero encorvado bajo el peso de una carga abrumadora,
sin desanimarse, y que ambos en fin muestran el mismo interés en contemplar siquiera un minuto más la luz del sol;
ése está tranquilo, crea su universo en sí mismo y se considera feliz sólo por ser hombre. Por limitado que sea su poder,
abriga siempre en su corazón el sentimiento y sabe que puede dejar esta cárcel cuando así lo disponga.

26 de mayo

Tú conoces, hace mucho tiempo, mi modo de arreglarme; sabes cómo me gusta alistar una cabaña en un sitio

aislado donde pueda vivir con gran simplicidad. ¡Pues bien! Sabrás que he encontrado en este lugar un rinconcito seductor. Como a una legua de la ciudad, se tiende una campiña llamada Wahlheim. Situado en la cima de una colina, la vista del pueblo es muy pintoresca. Al subir el camino que lleva a él, se ve todo el valle con una sola mirada. Una mujer buena y servicial, ágil para su edad, tiene ahí una taberna o expendio de bebidas y se sirve café, vino y cerveza. Lo que llama la atención son dos tilos soberbios de ramas abundantes, que dan sombra a la plazuela de la igual, cuyo recinto lo cierran casas, pajares y corrales. Con dificultad se encontraría en otra parte un sitio más propicio para mis gustos: me hago traer una mesita y una silla; tomo mi café y leo mi Homero. La primera vez que la casualidad me llevó a este sitio era una tarde magnífica; encontré el lugar solo porque todo el vecindario estaba en el campo y sólo vi a un niño, como de cuatro años, que sentado en el suelo sostenía en sus piernas a otro niño de meses, sentado también, al que pegaba a su pecho con los brazos. A pesar de la vivacidad que brillaba en sus ojos negros, estaba muy quieto. Esta vista me encantó; me senté sobre un arado frente a ellos, tomé mis lápices y empecé a dibujar este cuadro fraternal con indescriptible placer; agregué un seto, la puerta de una granja, una rueda rota de carro y algunos otros aperos de labranza mezclados entre sí con poca claridad.

Después de una hora encontré que había hecho un dibujo bien entendido, un cuadro muy interesante, sin haberlo pensado ni haber puesto nada de mi parte. Esto me confirmó en mi propósito de no atenerme más que a la naturaleza misma, porque ella sola es la que tiene riquezas inagotables y la que forma los verdaderos y grandes artistas. Mucho puede decirse a favor de las reglas y preceptos del arte, y más o menos lo mismo que puede decirse para alabar las leyes sociales. Un hombre que se conforma y atiene a ellas con rigor no produce nunca nada carente de sentido o positivamente malo, lo mismo que aquel que se conduce con arreglo a las leyes y a lo que exigen las conveniencias sociales no será nunca un mal vecino ni un insigne malvado; pero tampoco producirá nada notable, porque sin importar lo que se diga, toda regla, todo precepto, es una especie de traba que sofocará el sentimiento real de la naturaleza, hará estéril el verdadero genio y le quitará su verdadera expresión. Me dirás que tiene esto mucha fuerza. Pues bien, yo te diré que lo que hace la regla es podar las ramas chuponas, impedir que crezcan y se expandan. Escucha una comparación; sucede con esto como con el amor: un joven con el corazón virgen y sensible se apasiona por una joven amable y bonita; pasa todo el tiempo junto a ella; prodiga su fortuna; hace uso de todas sus capacidades para probarle en todo momento que es suyo del todo sin la menor reserva, y he aquí que se cruza un inoportuno revestido con el carácter de un ministerio público con su traje oficial y le dice "caballerito, amar es de hombres; ama, pues, pero ama como un hombre; arregla tus horas del día; consagra unas al estudio, al trabajo, y otras a tu ídolo; haz un cálculo preciso de tus rentas, de cuánto será lo superfluo que te quede después de haber cubierto todo lo necesario. No te prohíbo le hagas algunos regalos, pero raras veces y en épocas mismas, como el día de su santo".

Si nuestro joven se conforma con seguir las indicaciones del entrometido, llegará a ser personaje muy útil y yo sería el primero en aconsejar a todo príncipe que lo colocara en algún ministerio; pero en lo que respecta a su amor, pronto habría huido, ¡y no digo menos de su talento si era artista! ¡Oh, amigos míos! ¿Por qué desbordan tan rara vez sus olas impetuosas sus almas deslumbradas? Esto se debe a que en las dos orillas habita gente grave y reflexiva, cuyas quintas y casas de descanso, sus cuadros de tulipanes y sus huertos, se veían inundados, arruinados, destruidos; y éstos producen personajes con un gran cuidado de construir diques y presas, de hacer sangrías al torrente, para que el peligro constante desaparezca.

27 de mayo

Como acabas de ver, me he dejado llevar por el entusiasmo, por la declamación, por las comparaciones y he olvidado completamente el concluir lo que había empezado a decir de los niños. Absorto en esta meditación sentimental sobre la pintura, de la que en mi carta de ayer no he dado sino algunas partes, sin orden ni ilación, te diré que estuve más de dos horas sentado sobre el arado. Al atardecer llegó una mujer joven con una cesta en el brazo; se dirige presurosa a los dos niños, que no se habían movido de aquel lugar, y grita desde lejos.

—Felipe, eres buen muchacho.

Al pasar me saluda y yo correspondo. Me levanto, me acerco y le pregunto si es la madre de los niños: me responde que sí y da al grande la mitad de un bollo; levanta al pequeño en brazos y lo acaricia y besa como sólo una madre puede hacerlo.

—Confié a Felipe esta criatura —me dice—, y he ido a la ciudad con el mayor a comprar pan, azúcar y una tartera de barro.

Vi en efecto todas esas cosas en la cesta, cuya tapa se había caído.

—Quiero hacer esta noche una papilla para mi Juanito, el pequeño; mi hijo mayor, que es muy travieso, rompió ayer la tartera mientras peleaba con Felipe por rebanar lo que había quedado pegado a ella.

Le dije que tendría gusto de ver al mayor y apenas terminó de responder que se había quedado atrás y andaba corriendo por el valle juntando los gansos, cuando el chicuelo se presentó brincando y con una ramita de avellano en la mano que dio a su hermano. Yo seguí hablando con la mujer y me enteré que era hija del maestro de escuela y que su esposo estaba en Suiza, lugar al que había ido a recoger la herencia de un primo.

—Han querido engañarle —me dijo—, y no contestaban a sus cartas; de modo que ha ido allá a ver por sí mismo qué sucede. ¡Con tal que no haya sucedido una desgracia! Porque ya hace tiempo que no sé de él.

Tuve pena en separarme de esta mujer, le di unos céntimos a cada uno de sus hijos y algunos más a ella para que comprara un bollo al más pequeño cuando fuera a la ciudad, y nos separamos.

Te lo repito, amigo, cuando siento agitarse mi espíritu con violencia, la vista de una criatura basta para calmar su malestar: recorre el círculo estrecho de su pacífica vida en un feliz abandono; vive sin ocuparse más que en allegar lo necesario para vivir en el día; ve caer las hojas y no deduce nada más que el invierno se acerca.

Desde ese día voy a menudo a casa de esta buena mujer; los niños se han acostumbrado a verme y nunca tomo el café sin que deje de darles su terrón de azúcar, y al anochecer parto con ellos mis tostadas y mi leche cuajada. El domingo les doy unas monedas y si no estoy a la hora del oficio divino, la tabernera tiene la orden de dárselas.

Son muy confiados, me cuentan mil historias y nada me gusta más que ver sus pequeñas pasiones y la simplicidad de sus celos y envidias, cuando se reúnen alrededor de mí otros niños del pueblo.

Me ha costado trabajo tranquilizar a la madre, que temía mucho "incomodaran al señor", según sus palabras.

30 de mayo

Lo que te contaba sobre la pintura puede decirse también de la poesía. Sólo se trata de reconocer primero lo que es bello en verdad y después atreverse a expresarlo con franqueza. Esto en efecto es decir mucho en pocas palabras. Yo he sido hoy testigo de una escena que bien contada daría materia para romper el idilio más hermoso del mundo; ¿pero qué hacen aquí poesía, escena e idilio? ¿Es necesario trabajar siempre según las reglas del arte, sin violarlas ni romper sus trabas para participar de un efecto natural?

Si detrás de esta introducción esperas algo grandioso y sublime, te equivocas un poco; el que ha producido en mí una emoción tan viva es tan sólo un mozo de la aldea. Según mi costumbre, lo diré con torpeza y según la tuya, creerás que exagero. Es todavía Wahlheim y siempre Wahlheim que produce estas maravillas.

Bajo los tilos se habían congregado muchas personas para tomar café: y como la concurrencia no era de mi completo agrado, me alejé con un pretexto.

Salió un joven aldeano de una casa contigua y se puso a componer el arado que yo había dibujado por aquellos días; me acerqué a él y le hice algunas preguntas sobre su situación; nos conocimos y como me pasa a veces con los de su clase, pronto llegamos a las confidencias. Me contó que servía en casa de una viuda que se portaba muy bien con él. Me habló tanto de ella, tantos elogios tuvo para ella, que pronto descubrí que sentía una gran pasión.

—Ya no es joven —me dijo—; su primer marido le dio muy mala vida y no quiere volver a casarse.

Todo lo que me decía descubría el atractivo y belleza que conserva para él y con qué ardor deseaba se dignara a elegirlo, para reparar con su cariño los atropellos padecidos con su primer marido. Sería necesario repetirte su conversación para dar idea de la inclinación pura, de amor y la alegría de este hombre. Sí, sería preciso tener el talento de los mayores poetas para representar lo vivo, lo expresivo de sus ademanes, lo armonioso de su voz, el fuego concentrado y la ternura que se veía en sus ojos. No, no hay palabras capaces de transmitir el tierno y delicado cariño que embargaba todo su ser y que daban a conocer cada una de sus expresiones; y si tratara de hacerlo, no produciría más que cosas torpes y frías.

Me llamó la atención sobre todo y me conmovió al extremo su temor de que interpretara mal las relaciones con su ama y que sospechara de su buena conducta. Sentí un delicioso encanto al oírle hablar de ella, de su gracia, que a pesar de haber perdido ya los hechizos de la juventud, le atraía y le apasionaba de tal modo. Este placer, no obstante, no lo siento sino en lo hondo del corazón. Nunca había visto deseos más ardientes, más apasionados y vehementes, acompañados al mismo tiempo de tanta pureza; y podría incluso decir que ni siquiera había imaginado, ni en sueño, que pudiera existir tal pureza. No vayas a regañarme si te confieso que al acordarme de esta simple inocencia, se exalta mi alma; que me persigue por todas partes la imagen de esta ternura tan real, tan delicada y vehemente, y que como si estuviera poseído de los mismos fuegos, me abraso, languidezco y me siento morir devorado.

Trataré de ver lo más pronto posible a esa mujer. Pero no; si estoy en mi juicio, no he de hacerlo. La veo por los ojos de su amante y esto vale más, porque tal vez no se presentará a los míos tal como a él se apetece. ¿Y con qué fin desfigurar su imagen?

16 de junio

¿Por qué no te escribo? ¡Y puedes preguntarlo, tú, uno de los mayores sabios de la tierra! Debías adivinar que me encuentro bien, muy bien; en un palabra, que he hecho un conocimiento que toca a mi corazón muy de cerca. Tengo... tengo... No sé qué. Contarte por orden y detalladamente cómo he llegado a conocer a una de las criaturas más amables del universo sería tarea apoteósica. Estoy contento y soy dichoso; por ende, soy mal historiógrafo.

¡Un ángel ¡Ay! Todos dicen otro tanto del dueño de su alma. ¿No es verdad? ¡Y sin embargo, como decirte lo perfecta que es, porque lo es. Basta; ella abarca todos mis sentidos, los domina. ¡Tanta ingenuidad unida a tanto ingenio!, ¡tanta bondad con tanta fuerza de carácter! ¡Y la tranquilidad del alma en medio de la vida más agitada!

Todo lo que digo de ella no es más que una plática incoherente, lastimosas abstracciones que no dan a conocer ni un ángulo de su personalidad. Otro día... no, ahora mismo, te lo voy a decir. Si no lo hago ahora, no lo haré nunca; porque debo decir que desde que empecé a escribir, he estado a punto tres veces de tirar la pluma, hacer alistar mi caballo e irme a recorrer el país, aunque me hubiera propuesto esta mañana quedarme aquí. Me asomo a la ventana todo el tiempo para ver si el sol sigue muy alto.

No he podido resistir. He tenido que ir a su casa y ya he regresado, mi querido Guillermo. Cenaré mi manteca mientras te escribo. ¡Qué delicia para mí contemplarla rodeada de sus ocho alegres y traviesos hermanitos!

Si siguiera escribiéndote de este modo, quedarías tan enterado al principio que al final. Pon atención, que voy a violentarme para entrar en detalles.

Ya te escribí en fechas recientes cómo había conocido al mayordomo S*** y cómo me había invitado a ir a verle en su retiro o más bien en su pequeño reino. Hice poco caso de esta invitación y quizá no habría vuelto a recordarlo. Si la casualidad no me muestra el tesoro oculto en su retiro.

Los mozos del pueblo daban un baile campestre y asistí. Ofrecí la mano a una agraciada señorita, amable pero insulsa. Se acordó que yo conduciría a mi pareja y a su prima, en coche, al lugar de la fiesta y que recogeríamos a Carlota S***.

—Va usted a conocer a una mujer muy hermosa —dijo mi pareja al llegar a la soberbia calle o más bien paseo bordado de árboles generosos que conduce a la quinta. Cuidado con enamorarse.

—¿Y por qué? —le pregunté.

—Porque está comprometida con un hombre honrado —contestó—, ausente en este momento arreglando negocios por el deceso de su padre y al mismo tiempo para conseguir un empleo ventajoso. Estos datos, te diré, los oí con total indiferencia.

El sol iba a esconderse detrás de las montañas cuando llegamos a la puerta de entrada. El aire era pesado y difícil era respirar, se veían arremolinarse en el horizonte ingentes y numerosos nubarrones de un color oscuro. Las jóvenes manifestaban sus temores de una tormenta próxima y aun cuando yo mismo estaba convencido de ello y adelantaba que la fiesta fracasaría, traté de calmarlas con mis fingidos conocimientos meteorológicos.

Me bajé del coche y al mismo tiempo se presentó una criada y nos pidió esperar un momento a la señorita Carlota, que iba a bajar enseguida. Atravesé el patio, subí la escalinata que llevaba a la entrada de la linda casa y cuando pasé por el vestíbulo, presencié el espectáculo más encantador que hubiera visto. Seis niños, entre dos y 11 años, estaban agrupados en torno a una joven de estatura media, pero bien formada, cuyo traje era un simple vestido blanco adornado con lazos de color de rosa en marchas y pechera. Tenía un pan casero en la mano y a cada niño le daba un pedazo según su edad y apetito. Los niños levantaban sus manitas y luego de recibir la merienda, los más vivos se fueron con ella muy alegres y los más calmados se dirigieron con prudencia a la puerta para ver a los forasteros y el coche donde debía subir su querida Carlota.

—Pido a usted mil perdones —me dijo—, por haberle dado la molestia de llegar hasta este lugar y por hacer esperar a esas señoras; pero ocupada primero en vestirme y después en arreglar lo que ha de hacerse en casa en mi ausencia, me olvidé de dar de comer a mis pequeños, y no hay quien les haga tomar el pan si yo no lo parto.

Respondí con un trivial cumplido, porque mi alma entera estaba fija en sus labios, absorta de oír el timbre de su voz y de contemplar su gallardía. Corrió a su habitación por los guantes y el abanico, y mientras pude reponerme de mi trastorno. Los niños no se atrevían a acercárseme y me miraban de reojo; fui hacia el más pequeño, que era una criatura preciosa. El chiquillo huyó, pero en ese momento Carlota entró y dijo:

—Luis, ven a dar la mano a tu primo. El muchacho dejó la timidez y obedeció; yo no pude menos que besarle efusivo, a pesar de que su cara estaba llena del dulce de la merienda.

—¡Primo!, repetí yo, mientras estiré la mano a Carlota—. ¿Me considera en verdad digno de la dicha de ser familiar suyo?

—¡Oh! —contestó ella con maliciosa sonrisa—. ¡Tenemos tantos primos! Lo que sentiría es que fuera usted el peor de todos.

Al marchar recomendó a Sofía, la mayor de las hermanitas, de unos 11 años, que tuviera mucho cuidado de los pequeños y que no olvidara dar las buenas noches a su papá cuando volviera a casa; a los niños dijo:

—Ustedes obedezcan a su hermana Sofía como si fuera yo misma.

Algunos prometieron hacerlo, pero una rubita muy viva, de a lo mucho seis años, le dijo con aire de importancia:

—Sofía no es lo mismo que tú, a ti todos te queremos más.

Los dos chicos mayores se habían encaramado al coche y ante mis ruegos, Carlota les permitió que fueran con nosotros hasta el bosque, con tal que prometieran no hacer ninguna travesura.

Poco después de instalarnos en el coche y luego de saludarse las señoras e intercambiar algunas observaciones sobre los trajes, y sobre todo de los sombreros, con su poco de murmuración, inevitable en estos casos, dirigida contra las personas que habríamos de ver, Carlota hizo detener el carro y pidió a los niños que se bajaran; éstos obedecieron en el acto, rogando a Carlota que les diera a besar su mano; el mayor lo hizo con la tierna efusividad de los 15 años y el menor con mucha viveza. Carlota les encargó que dieran mil caricias de su parte a los otros hermanitos. Seguimos nuestro camino.

La primera le preguntó si había acabado de leer el libro que ella le había enviado.

—No — dijo Carlota —, no me gusta y puedes llevártelo; el anterior no era mucho mejor.

Yo quise saber de qué libros se trataba y quedé admirado al conocer que eran las obras de X. Encontraba tan buen juicio en sus apreciaciones, tanto sentido en todo lo que decía; descubría encantos nuevos en todas sus palabras y veía brillar rayos de inteligencia en su cara, que la iluminaban, que poco a poco se llegaba a distinguir en su semblante la alegría que sentía de que la comprendiera.

Cuando era más joven, dijo, nada me gustaba como leer novelas. Dios sabe qué placer me causaba pasar el domingo entero en un rincón solitario, participando de la dicha o de las desgracias de una miss Jenny. No niego que este género no tenga todavía para mí algunos atractivos; pero como en el día son muy escasos los momentos libres que me quedan para coger un libro, es preciso por lo menos que sea de mi agrado. El autor que prefiero es aquel que me pone en contacto con los de mi clase y sabe animar todo lo que me rodea; aquel cuyas historias son tan caras a mi corazón como a mi vida interior, que sin ser un paraíso, es para mí un manantial de inexpresable felicidad.

Hice esfuerzos para ocultar la emoción que me producían sus palabras; pero no mucho tiempo, porque al oírla hablar del *Vicario de Wakefield* y de X, con precisión y verdad conmovedoras, no me pude contener y me empecé a disertar entusiasta, como transportado y fuera de mí.

Hasta que Carlota se dirigió a sus dos compañeras, me percaté de que estaban ahí, con los ojos abiertos al extremo, pero como si no estuvieran. La prima me miró con aire malicioso y socarrón, pero fingí no verla. Enseguida se habló del placer del baile.

—¿Será un defecto esa pasión? — dijo Carlota —. He de decir que no conozco nada superior al baile. Cuando alguna pena me embarga y quiero mitigarla, me siento al clave, toco una contradanza y de inmediato todo se me pasa.

¡Con avidez miraba sus bellos ojos negros! ¡Con qué ardor contemplaba sus labios rosados, sus frescas mejillas tan animadas, sintiéndome como encantado mientras hablaba! Sumido como en un éxtasis de admiración por lo sublime y exquisito que ella decía, me sucedía con frecuencia no oír las palabras que pronunciaba, ni concentrarme en los términos que utilizaba. ¡Ah! Tú que me conoces entenderás lo que me pasaba. En una palabra, bajé del carruaje como sonámbulo y seguí caminando como un hombre perdido, inmerso en un mar de ensueños, y cuando llegamos a la puerta de la casa donde era la reunión, no sabía dónde me encontraba.

Tan absorta estaba mi imaginación, que no sentí el ruido de la música que oía en la sala de baile, con iluminación brillante. Los dos caballeros, Audrán y un tal N. N. (¿cómo es posible retener en la memoria todos esos nombres?), que eran las parejas de baile de la prima y de Carlota, nos recibieron al bajarnos del coche y se apoderaron de sus damas, yo conduje a la mía a la sala de baile. Se empezó a bailar un minué, en el que entrelazábamos unos con otros; yo saqué a bailar a una señorita, luego a otra y me impacientaba ver que eran justo las más feas las que no podían decidirse a darme la mano para terminar. Carlota y su acompañante empezaron a bailar una contradanza. ¡Qué grande fue mi gozo, como debes imaginar, cuando le tocó venir a hacer figura delante de mí! ¡Verla bailar es admirarla! Su corazón, su alma completa, todo su cuerpo tienen perfecta armonía; son tan libres, tan sueltos sus movimientos, que parece que en esos momentos no ve, ni siente, ni piensa en otra cosa; y se diría que por instantes todo se desvanece y desaparece ante sus ojos.

Yo la comprometí para la segunda contradanza, pero ella me prometió la tercera, al decirme con total confianza que le encantaba bailar las alemanadas.

—Aquí se acostumbra y es moda —me dijo—, que para las alemanadas, cada uno conserve su pareja; pero mi caballero valsea mal y me dispensará, con gusto, si yo le dejo y le excuso de ello. Su pareja está poco al corriente de ese baile y tampoco procura aprenderlo. En cambio, he notado en la contradanza que usted lo hacía muy bien; propongo a mi caballero que le ceda su turno de vals y yo haré la misma solicitud a su pareja.

Yo le di la mano en señal de aceptación del convenio y de inmediato quedó arreglado que su caballero entretendría durante la pieza a mi pareja.

El baile dio inicio; al principio nos entretuvimos en hacer varias figuras con los brazos. ¡Qué gracia, qué soltura en todos sus pasos! Cuando llegó el vals y empezamos a dar vueltas unos alrededor de otros, aunque en un inicio nos explayamos con desahogo, como había pocos bailarines que estuvieran al corriente, se dio una confusión extraordinaria. Nosotros tuvimos la prudencia de dejarlos desenredarse poco a poco y los más torpes abandonaron el lugar; entonces nos adueñamos nosotros del salón y empezamos a bailar con nuevo ardor.

Audrán y su pareja fueron los únicos que siguieron con nosotros. Jamás me había sentido tan ágil, ya no era un hombre. ¡Tener entre sus brazos a la más amable de las criaturas! ¡Volar con ella como torbellino que anuncia la tempestad! ¡Ver pasar todo, eclipsarse todo ante mis ojos y a mi alrededor! ¡Sentir! ¡Oh, amigo mío! Si he de ser franco, diré que entonces hice el juramento de no permitir nunca que una joven que yo amara y sobre la cual tuviera algún derecho, bailare con ningún otro hombre, aunque para impedirlo, corriera el riesgo de perecer. Creo que me comprendes.

Para recuperar el aliento y descansar un poco, dimos algunas vueltas por la sala, paseando, y ella se sentó enseguida. Yo le ofrecí dos naranjas que había reservado, porque ya no había ninguna en el aparador, y fueron recibidas a la perfección en aquel calor; yo estaba enajenado, pero una indiscreta vecina que se encontraba al lado de Carlota, me daba una puñalada al corazón cada vez que aceptaba un gajo de naranja que se le ofrecía.

En la tercera contradanza inglesa formábamos la segunda pareja. Al recorrer toda la columna, Dios sabe con qué delirio seguía yo sus pasos, cómo me embriagaba con sus ojos negros, en los que veía brillar el placer en su pureza completa. Nos tocó hacer figura delante de una mujer que sin ser muy joven, me había llamado la atención por su grata fisonomía; esta mujer miró a Carlota, sonriendo y amenazándola con un dedo pronunció dos veces, al pasar, el nombre de Alberto con un tono significativo.

—¿Quién es Alberto —le dije a Carlota—, si no es indiscreción preguntar?

Iba a contestar, pero nos tuvimos que separar para formar la gran cadena de ocho y me pareció ver ensombrecida su frente cuando volví a pasar frente a ella.

—¿Por qué se lo iba a ocultar? —me dijo al darme la mano para el paseo—. Alberto es un hombre honrado con quien estoy comprometida.

Ésta no era noticia para mí, pues sus amigas me lo habían advertido durante el camino: pero ahora, después de que habían bastado algunos instantes para tomarle tanto cariño y aprecio, estas palabras me perturbaron como si hubiera recibido un golpe inesperado. Esta noticia me trastornó por

completo y su recuerdo me dejo atontado y en términos que
ni sabía lo que hacía, ni dónde estaba, y este olvido de mí
mismo fue tan grande que no supe ni puede hacer a tiempo
la figura que seguía, y de tal modo confundí el baile, por lo
que fue necesario que con toda su presencia de espíritu,
Carlota me tomara de la mano, como a un niño, y me sacara
de aquel caos, para poder restablecer el orden.

Los relámpagos que brillaban en el horizonte y que yo
calificaba de simples exhalaciones de calor, empezaron a
ser cada vez más frecuentes y el estampido del trueno llegó
a esconder los acordes de la orquesta. Tres señoritas dejaron en el acto de bailar y sus parejas las siguieron. Se
generalizó la desbandada y enmudeció la música. Cuando
una desgracia nos sorprende en medio del placer, parece
natural que suframos una impresión más viva que cuando
se produce en otras condiciones, bien porque el contraste se
deje de sentir con mayor viveza o porque nuestra impresio-
nabilidad sea mayor. A una de estas razones debo atribuir
las singulares actitudes que noté en algunas señoras. Una
de ellas se metió en un rincón, de espalda a la ventana,
y cubrió sus oídos. Otra se arrodilló delante de la primera y
oculta la cabeza entre las piernas de ella. Una tercera se acercó y las estrechó en sus brazos derramando un copioso
torrente de lágrimas.

Algunas querían volver a casa; otras, todavía más fuera
de control, ni siquiera conservaban la entereza para recha-
zar las travesuras de nuestros perillanes, muy solícitos y
presurosos en robar de los labios de las bellas atemoriza-
das, los fervientes ruegos que dirigían al cielo.

Parte de los hombres habían salido de la sala de baile y
bajado al patio para fumar sus pipas con tranquilidad. El
resto de la concurrencia siguió a la dueña de la casa que
tuvo la gran idea de hacernos pasar a otra sala cerrada con

contraventanas y cortinas. Apenas llegamos ahí, Carlota hizo un círculo con las sillas, tocó a todos sentarse y propuso un juego de prendas. Al oír esta proposición vi a muchos fruncir alegremente los labios con esperanza, sin duda, de conseguir un beso para desempeñar la prenda.

Cuando todos se sentaron:

—Vamos a jugar —dijo—, el juego de la *Cuenta*. Escuchen y pongan atención. Yo daré vueltas en el círculo de derecha a izquierda y mientras ustedes contarán; cada uno tiene que decir el número correspondiente y todas estas cifras deben sucederse como un fuego graneado: el que se pare o se equivoque recibirá una cachetada; y así debemos contar hasta mil.

¡Oh, qué hermosa lucía en aquellos momentos! Empezó a dar vueltas con los brazos estirados, contando el primero uno; dos, el siguiente; tres, el tercero, y así sucesivamente. Poco a poco la joven aceleró el paso. Uno se equivocó y ¡pum!, recibió una cachetada; el siguiente se rió y perdió la cuenta, y para este momento Carlota iba más aprisa. A mí me tocaron dos bofetones y creí notar con honda satisfacción que fueron más fuertes que las de mis compañeros. La risa y algarabía general terminaron el juego, antes de que alcanzáramos el mil. Algunas parejas formaron grupos separados; había pasado ya la tormenta y acompañé a Carlota a la sala donde habíamos bailado.

En el camino me dijo:

—Los golpes les han hecho olvidar la tormenta y todo lo demás.

No atiné a responder.

—Yo era una de las más medrosas, pero haciéndome la valiente para animar a las demás, he logrado en verdad no tener miedo.

Enseguida nos asomamos a la ventana. Aún se oía a lo lejos el rugido del trueno; la lluvia refrescante caía con un murmullo y los más deliciosos aromas llegaban a nosotros; un aire puro y fresco nos traía los balsámicos perfumes que se desprendían de todas la plantas. Recargada en su codo, con aspecto pensativo, sus miradas recorrían toda la campiña; fijó sus ojos en el cielo, luego en mí y noté en ese momento anegados sus ojos de lágrimas; puso su mano en la mía y dijo:

— ¡Klopstock!

Recordé la magnífica oda a que se refería (aquélla en la que el poeta celebra la belleza de la naturaleza después de una tempestad) y el nombre de Klopstock me produjo gran cantidad de impetuosas sensaciones, a las que me abandoné con toda mi alma. No pude resistir los impulsos de mi corazón; estaba conmovido en lo más hondo; lloraba de felicidad e inclinándome hacia Carlota, besé sus manos y luego levanté la mirada en busca de los suyos.

¡Klopstock, noble poeta! ¡Genio sublime! ¿Por qué no has podido ver tu apoteosis en estas miradas? Ojalá no oyera a nadie profanar ya tu augusto nombre!

¿Adónde llegaba con mi relación? Te aseguro que yo lo ignoro; todo lo que sé y lo que recuerdo es que cuando me fui a dormir eran las dos de la mañana. ¡Ah! Si hubiera estado junto a ella, en lugar de escribir, te habría hablado quizá hasta la mañana.

No te he contado aún lo que me sucedió cuando regresamos del baile y hoy no tengo tiempo para hacerte una relación detallada. El sol salía con toda su majestad e iluminaba el bosque. Se veían brillar en las extremidades de la ramas y en las hojas de los árboles las gotas de la lluvia o del rocío, y el verdor de los campos era más fresco y vivo.

Nuestras dos acompañantes dormían y ella me preguntó si no haría lo mismo.

—Si tiene sueño —me dijo—, no gaste cumplidos.

—¿Dormir, dormir yo mientras vea esos ojos abiertos? —le respondí con mi mirada fija en la suya. Me sería imposible cerrarlos.

Y en efecto ambos seguimos despiertos hasta llegar a su puerta. Una criada la abrió sin ruido y después de interrogarla, le respondió que sus padres y los niños dormían profundamente. Yo me separé de ella tras haberle pedido permiso para visitarla aquel mismo día; ella aceptó y estoy de regreso.

Desde entonces el sol, la luna y las estrellas pueden salir y ocultarse cuando y como quieran, yo no sé ya cuándo es de día ni cuándo es de noche, cuándo hace sol o cuándo hace luna; para mí ha desaparecido el universo en su totalidad.

21 de junio

Mis días son tan felices como los que Dios reserva y hace gozar a los elegidos; pase lo que pase, en adelante no podré decir que no he conocido el gozo y la alegría; el gozo y la alegría más puros de esta vida. Tú conoces mi Wahlheim; en él me he instalado en definitiva. Desde aquí sólo tengo que caminar media legua para ir a casa de Carlota, en la cual gozo de mí mismo; disfruto de toda la felicidad que puede gozar el hombre. ¿Cómo hubiera podido imaginar, cuando escogí Wahlheim para mis paseos, que se hallaba tan cerca del paraíso? ¡Cuántas veces al vagar sin objeto por esos lugares, bien fuera por la cumbre de la montaña o por la llanura, o más bien, más allá del río, he dirigido la mirada a ese pabellón que encierra hoy el objeto de todos mis deseos.

Mil veces he reflexionado, querido Guillermo, sobre ese deseo natural que tiene el hombre de ampliarse, de hacer descubrimientos, de abarcar y dominar todo lo que le rodea; y después, por otro lado, sobre ese segundo pensamiento interior que le asalta, de enterrarse a voluntad en ciertos límites, de no salir del surco trazado por la costumbre, sin ocuparse de lo que sucede y pasa a diestra y siniestra.

¡Qué extraña sensación! Cuando yo vine aquí y recorriendo por vez primera estas colinas descubrí un valle muy risueño, sentí de inmediato atracción por estos sitios, como por un efecto mágico. ¡Allá, a lo lejos, el bosque! "Ah, pensaba yo de mí, si pudieras pasearte por sus sombras". Más alto, la cima de los montes. ¡Ah, si pudieras pasear la mirada desde ahí por este extenso y exquisito paisaje... sobre esta cadena de colinas... sobre esos pacíficos valles... "¡Oh, qué placer de perderme... de extraviarme en esos lugares...!" Yo iba, venía, lo recorría todo sin encontrar lo buscado. Hay cosas distantes que vemos como un confuso futuro y nuestra alma llega a entrever, como por un velo, un extenso universo; todos nuestros sentidos aspiran a encontrarse en él y a él se dirigen; y en esos momentos nos gustaría despojarnos de todo nuestro ser, para penetrar en él y gozar por completo de la sensación deliciosa y única, y entonces corremos... volamos... Pero, ¡ah!, cuando hemos llegado al término del recorrido, estamos en el mismo punto; nos encontramos con nuestra pobreza en estrecho límites y agobiada el alma por el peso de ese fantasma que la oprime, suspira sin consuelo y ansía probar el bálsamo refrigerante que ha desaparecido frente a ella.

Así suspira el hombre errante, en medio de su existencia accidentada e inquieta, por su patria. En su cabaña, en los brazos de su mujer, rodeado de sus hijos, y en los deberes que le imponen y en las preocupaciones que le traen los deberes que exige su conservación, encuentra el verdadero gozo, la satisfacción real que buscaba de manera vana e inútil en todos los rincones de este enorme mundo.

Con mucha frecuencia, al despuntar el alba, salgo corriendo y voy a mi querido Wahlheim; voy a buscar yo mismo mis guisantes al huerto de mi huéspeda y me distraigo en mondarlos mientras leo a Homero; después me voy a la cocina a elegir una vasija, a cortar mi mantequilla y poner los guisantes en la lumbre; me siento al pie del hogar y los meneo de vez en vez. En esos momentos me represento a los fieros amantes de Penélope, degollando, despedazando y haciendo asar los bueyes y los cerdos. No hay nada en el mundo que me dé más placer que el considerar estos rasgos característicos de la vida, patriarcal, con los que gracias al cielo puedo sin daño entrelazar el tejido de mi vida.

¡Qué dichoso me siento de poder sentir la inocente y sencilla felicidad del moral que me ve sobre su mesa figurar la berza que él ha plantado! No disfruta sólo el placer de saborearla, sino del recuerdo de la hermosa mañana en que la plantó, de las apacibles tardes en que la regó y del gusto que le traía verla crecer y redondearse cada día. Todos estos placeres y fruiciones las saborea él en aquel solo momento.

29 de junio

Anteayer vino el médico de la ciudad a visitar al mayordomo y me halló sentado en el suelo, en medio de los niños de Carlota. Unos saltaban alrededor de mí o se subían en mis rodillas; otros me hacían gestos; yo les hacía cosquillas y la algazara era grande y la alegría, muy ruidosa. El doctor es un arlequín pedante que al hablar, cuida más de estirarse los puños de la camisa, de arreglarse las

chorreras, que de lo que dice. Al verme en esta posición, jugando con los niños, le pareció que yo me rebajaba en mi
dignidad de hombre sensato y juicioso; pero a pesar de que yo
me di cuenta de ello, por sus modos, no cambié de postura por
eso y seguí divirtiéndome. Le dejé decir todas las cosas razonables y justas que se le ocurrieron y me ocupé de volver a
levantar el castillo de naipes que los niños habían derribado.

En cuanto volvió a la ciudad, lo primero que hizo fue
contar a las personas que encontraba y querían oírle: "Los
niños del magistrado estaban ya muy mal educados, pero
ese Werther los acaba de echar a perder por completo". Sí,
querido Guillermo, los niños son lo que conmueve más mi
corazón en la tierra. Cuando me detengo a mirarlos y veo en
esos pequeños el germen de todas las facultades que necesi-
tarán practicar algún día; cuando descubro en sus caprichos
o terquedades la futura constancia y firmeza de carácter, o
en sus travesuras y en su malicia el humor fácil y alegre que
hace olvidar las penas y los contratiempos de la vida, y todo
esto de una manera franca y total, no dejo de repetirme siempre estas palabras divinas del maestro. Mientras no
llegues a ser como éstos... Pues bien, mi amigo, a estos niños, estas amables criaturas que deberíamos considerar
modelos, los tratamos como esclavos. ¿Por qué no han de
tener ellos también una voluntad personal? ¿No tenemos
nosotros la nuestra? ¿En qué se basa o está fundada esta
prerrogativa? ¿Es porque nosotros tenemos más edad y
somos más serios? ¡Dios piadoso! Desde la inmensidad de
tu gloria, ves a los niños grandes y a los pequeños, y nada
más, y hace mucho tiempo que has declarado por boca de
tu hijo, quiénes son con los que más te complaces. Los
hombres creen en él, pero no lo escuchan, y nunca han
obrado de otra manera. Forman a sus hijos semejantes a
ellos y... Adiós; prefiero callar que seguir con este desvarío.

1 *de julio*

¿Quién puede saber mejor lo que debe ser Carlota para un enfermo sino mi propio corazón, más adolorido que el desgraciado paciente acostado en su lecho? Algunos días va a visitar a una señora respetable de la ciudad que, según dictamen de los facultativos, le queda poco tiempo de vida y desea tener a Carlota a su lado en los últimos instantes. Le acompañé la semana pasada a hacer una visita al pastor de San***, a una legua de aquí, en la montaña; llegamos cerca de las cuatro de la tarde, acompañados de la segunda hermanita de Carlota. Al entrar en el patio de la casa, sombreado por dos grandes nogales, vimos al buen anciano sentado en un escaño en la puerta de su casa. Tan pronto vio a Carlota, se sintió reanimado con vigor juvenil y sin recoger su báculo nudoso, se aventuró a levantarse para acudir a su encuentro.

Carlota corrió hacia él y lo hizo volver a su lugar, se sentó a su lado; le dio los afectuosos recuerdos de su padre y acarició y besó a un pequeño que era el niño mimado del anciano, a pesar de lo feo que era y de lo sucio que estaba. Necesario fuera que hubieras visto las atenciones delicadas que tenía con el anciano pastor; cómo elevaba la voz para alcanzar a los débiles y medio cerrados oídos, cómo le hablaba de las personas jóvenes y robustas que habían muerto de manera súbita, de la excelencia de las aguas de Carlsbad y de su acertada decisión de tomarlas el verano próximo, sin omitir al mismo tiempo que le hallaba muy mejorado con relación a la última vez que le había visitado. Mientras, yo saludé y presenté mis cumplidos a la esposa. El buen anciano se mostraba alegre al extremo y no pude menos que expresar la admiración que me provocaban la hermosura y abundancia de los dos nogales en cuya sombra nos cubríamos. De inmediato, aunque de una manera un poco pesada, empezó a contarnos la historia de estos árboles.

—El más viejo —dijo—, no se sabe quién lo plantó: tal pastor, dicen éstos; tal otro, dicen aquéllos; sobre el más joven (precisamente es de la edad de mi mujer, que cumplirá 50 años en octubre), su padre lo plantó en la madrugada del día en que nació por la tarde. Su padre fue mi antecesor y no puede decirse con justicia hasta qué punto quería él este árbol, aunque seguro no mucho más que yo. La primera vez que vine aquí, siendo entonces un pobre estudiante, mi mujer estaba sentada en un madero, haciendo media, al pie de este árbol, en este mismo patio. Hará de esto como... como... unos 37 años... Sí... 37 años.

Carlota le dijo que tendría gusto de ver a su hija Federica, pero ésta había bajado a la pradera con Schmidt para ver a los trabajadores, y el buen hombre prosiguió con su historia. Nos dijo que su predecesor le había tomado afecto, así como también su hija; cómo llegó a ser su vicario y por último su sucesor. Apenas acababa de terminar la historia, cuando entró la joven al patio acompañada de Schmidt y dio a Carlota una bienvenida amistosa. Debo confesar que no me desagradó: es una joven trigueña, vivaracha, bien formada y su trato haría pasar algunas horas muy gratas en el campo a su lado. Su pretendiente, pues por supuesto juzgué que lo era Schmidt, es un hombre bien educado, pero frío, y no despegó los labios ni participó en la conversación, por más que trató Carlota para invitarle. Lo que más me desagradó fue observar en su fisonomía que obraba así más bien por capricho y mal humor, que por falta de ingenio o de instrucción. Esta suposición se confirmó con lo que ocurrió después en el paseo, porque hallándose Federica separada, por casualidad, de Carlota unos cuantos pasos, y a mi lado, vi enfadarse el semblante de nuestro enamorado, y su rostro, bastante encapotado ya sin esto, tomó un aspecto sombrío de mal género. Felizmente, Carlota después de notarlo, me jaló de la manga, dándome a entender con señas que yo me mostraba demasiado amable con Federica. Nada me desconsuela más que ver a los hombres atormentarse unos a otros; y, sobre todo, me irrito cuando veo a jóvenes en la flor de la juventud, cuyo corazón debería estar más abierto y accesible a todos los goces, sembrar en él la perturbación y la desconfianza, y arruinar de ese modo los cortos instantes de dicha que se les concede, muy escasos, dicho sea de paso; momentos que una vez idos no regresan nunca y que no dejan en su lugar sino pesares estériles. Yo me sentí picado, casi ofendido. Al ver caer la tarde volvimos al patio a tomar leche y se orientó la conversación hacia las penas y los goces de este mundo: aprovechando la ocasión, tomé la palabra y me puse a atacar con viveza el mal humor.

—Nos quejamos muchas veces —dije—, de lo raros que son los días felices y lo muy abundantes y frecuentes que son los días malos; y a mi parecer, nos quejamos sin motivo. Si tuviéramos listo el corazón en todo momento para gozar del bien que Dios nos envía, tendríamos de igual forma la fuerza de soportar el mal cuando sobreviene.

—Pero nuestro humor no está en nuestro poder, no somos dueños de él —expresó la mujer del pastor—; con mucha frecuencia depende de nuestra condición física, la menor indisposición nos hace mirarlo todo con colores sombríos. Ante lo cual estuve de acuerdo.

—Vamos a considerarlo entonces una enfermedad, —continué— y descubramos si tiene remedio o no.

—Admitido —dijo Carlota—; pero yo creo que depende de nosotros en gran medida y esto lo sé por experiencia. Cuando me molesta o me apena algo, no tengo más que dar unas cuantas vueltas por el jardín, tarareando alguna contradanza, y en el acto se me quita el mal humor.

—Es eso lo que quería decir —agregué—. Sucede con el mal humor lo mismo que con la pereza, a la que nuestra naturaleza es muy propensa; y sin embargo, tenemos bastante fuerza para sacudirla y alejarla, el trabajo sale sin esfuerzo de nuestras manos y sentimos un verdadero goce con nuestra actividad.

Federica escuchaba atenta y el joven me presentó la objeción de que algunas veces no se es dueño de sí mismo o que al menos no se puede controlar los sentimientos.

—Aquí se trata —repuse—, de un sentimiento poco grato del que todos se podrían deshacer con gusto y nadie sabe hasta dónde puede llegar su fuerza mientras la haya probado. De seguro que el que se siente enfermo recurrirá a los facultativos y no se negará a respetar el régimen que le impongan, por rígido que sea, ni a tomar las medicinas que se le prescriban por amargas que resulten, con el interés de recobrar la salud, que nos es tan preciada.

Advertí que el buen anciano oía con atención para tomar parte en nuestra charla y alzando la voz y dirigiéndole la palabra, agregué:

—Se predica contra muchos vicios, pero nunca he oído a alguien decir que se predicara desde el púlpito contra el mal humor.

—Eso corresponde a los predicadores de la ciudad —respondió el anciano—, porque los aldeanos no conocen ni el mal humor ni el capricho. No dañaría a nadie, sin embargo, tocar de vez en cuando ese punto; sería una lección para la esposa del pastor, por lo menos, y para el señor magistrado.

Todos soltamos la risa y él con nosotros, de muy buen ánimo, hasta que le sobrevino la tos, que interrumpió por un momento la plática.

El joven tomó la palabra de inmediato:

—Ustedes califican el mal humor de vicio y eso me parece extremoso.

—¿Extremoso? Todo lo que perjudica al hombre y al prójimo merece ese calificativo. ¿No basta no poder hacernos mutuamente dichosos? ¿Es necesario también privarnos unos a otros del placer que cada uno puede proporcionarse en el fondo de su corazón? A ver, ¿quién es el mortal que de mal humor tenga el valor de ocultarlo, de tolerarlo solo, para no trastornar la alegría de los que le rodean? ¿No es esto en el fondo el sentimiento interior de nuestra insuficiencia, un descontento de nosotros mismos, mezclado siempre con la envidia, hija de una loca vanidad? Vemos hombres felices y alegres que no nos deben su dicha y no podemos tolerar su presencia.

Carlota sonreía viendo el calor y la emoción con que yo hablaba y una lágrima que vi brotar de los ojos de Federica me hizo seguir.

—¡Desgraciados —exclamé—, quienes usan del control que tienen sobre un corazón para negarle los placeres puros y simples que surgen y brotan de él de manera espontánea! Todos los regalos, todas las complacencias del mundo, no sustituyen ni compensan un solo instante de verdadero placer contaminado por las envidiosas vejaciones de un tirano.

En aquel momento, mi corazón se desbordaba. El recuerdo de muchos sucesos del pasado oprimía mi alma y mis ojos se humedecían.

—¡Ah! —dije—. Si cada uno se dijera a sí mismo todos los días: tu primera obligación con tus amigos es respetar sus placeres, aumentar su dicha al participar en ella; la más dulce de tus obligaciones es la de derramar un gota de

bálsamo en su alma cuando está agitada por una pasión violenta o angustiada por la tristeza. ¡Ah! ¡Cómo te acusará la
conciencia cuando la víctima que tus bárbaros caprichos han
sacrificado en la flor de la edad, devorada por la fatal enfermedad que va a cortar el curso de su vida, se halle tendida
ante ti, desfalleciente y moribunda! Sus ojos, inertes y apa-
gados, tratan de dirigir hacia el cielo, en vano, una débil
mirada por última vez; el sudor frío de la muerte baña su
rostro pálido y demacrado. Acércate, te digo entonces, y que
el infierno tome tu corazón. Sientes que ya es muy tarde y
que todos sus tesoros son inútiles; la angustia se apodera de
tu alma; quisieras desprenderte de todo lo que tienes para
dar a la pobre criatura moribunda un momento de consuelo, un soplo de vida; ¡reanimarla, en fin!

Esta escena inspirada en un cuadro similar que había
presenciado llenó mis ojos de lágrimas; me sentí muy conmovido y mientras cubría mi cara con el pañuelo para ocultar
la emoción, me alejé del grupo.

No me calmé ni me repuse hasta oír la voz de Carlota,
que me llamaba:

—¡Vamos, vamos, que es tiempo de irnos!

¡Qué cariñosos comentarios me hizo después, en el camino, por la parte apasionada al extremo que tomaba en
todo!

—De ese modo llegará a matarse —decía—; debe ser
más razonable y no dejase impresionar de ese modo.

¡Oh, sí, mujer angélical…! ¡Quiero vivir… vivir para ti!

6 de julio

Carlota está siempre al lado de su amiga moribunda y
siempre es la misma: siempre la criatura afable y benéfica,

cuya mirada, dondequiera que va, dulcifica el dolor y hace felices a las personas. Ayer por la tarde fue a pasear con Mariana y la pequeña Amelia. Yo lo sabía: me reuní con ellas y caminamos juntos. Después de caminar como legua y media, regresamos a la ciudad y llegamos a la fuente, que ya me gustaba mucho y ahora me gusta mil veces más. Carlota se sentó sobre el pequeño muro; los demás estábamos frente a ella. Miré al alrededor y recordé el tiempo en que mi corazón estaba solitario.

—¡Fuente querida! —me dije—. ¡Cuánto tiempo hace que no gozo de tu frescura y al pasar de prisa junto a ti, ni siquiera te he mirado!

Bajé los ojos y vi que subía la pequeña Amelia con su vaso; Mariana trató de quitárselo.

—¡No! —dijo la niña—, con la más dulce expresión. ¡No!, tú has de beber antes que todos.

La verdad, la bondad con que aquella niña pronunciaba estas palabras me arrebataron hasta el punto de expresar mis sentimientos, no supe hacer otra cosa que tomarla en brazos y besarla con tal efusividad, que empezó a gritar y a llorar.

—Eso no está bien hecho —me dijo Carlota.

Me quedé confundido.

—Ven, Amelia —continuó y la tomó de la mano para bajar los escalones—. Lávate enseguida con agua fresca; eso no es nada.

Fijé mi atención en la niña, que con esmero se frotaba las mejillas con las manos mojadas, convencida de que la fuente milagrosa le quitaría toda mancha y retiraría la afrenta de que una barba impura la hubiera tocado. Carlota decía "¡basta ya!" y ella seguía frotándose con nuevo ánimo, como si mientras más lo hiciera fuera mejor.

Guillermo, te aseguro que no he asistido a ninguna ce-
remonia con más respeto; y cuando Carlota subió, con gusto
me hubiera postrado a sus pies, como ante los de un profeta
redentor de los pecados de un pueblo. No pude resistir al
deseo de contar por la noche lo sucedido, con toda la alegría de mi corazón, a alguien que yo creía sensible, porque
tiene agudeza. ¡Cómo me equivocaba! Censuró la conducta
de Carlota; dijo que no se debía hacer creer nada a los niños; que estos abusos eran origen de errores y supersticiones
innumerables, que hay necesidad de evitar desde la infancia... Entonces recordé que ocho días antes había hecho este
charlatán bautizar a un niño; por lo cual, oyéndole como el
que oye la lluvia, prevalecí fiel con todo mi corazón a esta
verdad: "Es preciso actuar con los niños como actúa con
nosotros el Señor, que nunca nos hace más felices que cuando nos deja embriagarnos con una agradable ilusión".

8 de julio

¡Qué niños somos, verdaderamente, y qué valor tan elevado damos a una mirada! ¡Qué niño es el hombre!
Habíamos ido a Wahlheim; las señoras iban en coche y durante el paseo, creí ver en los ojos negros de Carlota... ¡Estoy
loco... perdona! ¡Sería preciso haber visto aquellos ojos! En
fin, para terminar (porque estoy cayéndome de sueño), te
diré que las señoras iban en una carroza y el joven W***,
Selstadt, Audrán y yo seguíamos a pie. Estos caballeros,
siempre vivos, turbulentos y ligeros, no dejaban de dar vueltas alrededor del carruaje, yendo de un lado a otro y
charlando. Las señoras seguían la plática y contestaban. Yo
buscaba los ojos de Carlota y vi, ¡ay!, que se fijaban o más
bien que erraban de un lugar a otro, pero que nunca, ni una
sola vez, se detenían en mí, yo que no veía más que a ella!

¡Mi corazón la saludaba mil veces y ella no me miraba! El carruaje nos adelantó y una lágrima humedeció mis ojos. Yo la seguí con la vista y vi el tocado de su cabeza fuera de la puerta, inclinándose para buscar, para ver... ¿A quién? ¿A mí? ¡Oh, amigo! Estoy flotando en esta incertidumbre, misma que es mi consuelo. Quizá era a mí a quien buscaba... a mí a quien quería ver... ¡Tal vez! Buenas noches. ¡Qué niño soy!

10 de julio

Quisiera que vieras la estúpida cara que pongo cuando la gente habla de Carlota y sobre todo cuando me preguntan si me gusta... ¡Gustarme! Odio de muerte esta palabra. ¿A qué hombre no le gustará, no le robará el pensamiento y todo el corazón? ¡Gustar! El otro día me preguntaron si Ossian me gustaba.

11 de julio

La señora M., está muy enferma. Ruego a Dios por su vida, porque sufro viendo que Carlota sufre. No la veo sino a veces en casa de una de sus amigas, donde hoy me ha contado una historia singular. El señor M. es un viejo avaro, perverso y repugnante, que ha tenido atormentada y muy sujeta a su mujer toda la vida; ella, sin embargo, ha sabido sacar fruto de la situación. Habiéndola desahuciado el médico hace algunos días, mandó llamar a su marido y en presencia de Carlota, le habló en estos términos:

"Debo confesarte algo que después de mi muerte podría ser motivo de inquietud y pesar. Hasta hoy he gobernado la casa con todo el orden y la mejor economía posible; pero debo pedirte perdón, porque te he engañado

durante 30 años. Desde nuestro matrimonio fijaste una cantidad muy pequeña para los gastos de comida y demás de
la casa. Cuando ésta ha prosperado y nuestros negocios han
mejorado no he podido lograr que aumentes la suma desti-
nada cada semana; tú sabes que en el tiempo de nuestros
mayores gastos me obligabas a atender a todo con un florín
diario. He obedecido sin reprochar y cada semana he tomado del cofre del dinero lo indispensable para cubrir mis
atenciones, segura de que jamás se sospecharía que una
mujer robara a su marido. Nada he malgastado e incluso
sin hacer esta confesión hubiera entrado sin preocupación
en la eternidad; pero sé que la que me suceda en el gobierno
de la casa no podrá manejarse con lo poco que tú das y no
quiero que llegues a echarle en cara que tu primera mujer
se contentaba con ello".

He hablado con Carlota sobre la increíble ceguera que
hace que un hombre no sospeche manejo alguno en una
mujer que con siete florines cubre, de domingo a domingo,
todos los gastos, cuando se ve que éstos pasan del doble.
Sin embargo, conozco gente que hubiera recibido en su casa,
sin asombrarse, el inagotable cántaro de aceite del profeta.

13 de julio

No, no me engaño; leo en sus ojos negros el verdadero
interés que le inspiran mi persona y mi suerte. Conozco y
en esto debo confiar en mi corazón, que ella... ¡Oh! ¿Podré y
me atreveré a manifestar con estas palabras la dicha celestial que me embarga? Sé que me ama.

¡Soy amado! ¡Si vieras cómo me quiere ahora; si vieras...
Te lo diré, porque tú sabrás comprender: si vieras lo mucho
más que valgo a mis propio ojos desde que soy dueño de
su amor! ¿Es esto presunción o sentimiento de nuestra

relación verdadera? No conozco hombre alguno capaz de robarme el corazón de Carlota y no obstante, cuando ella habla de su futuro esposo, con todo el calor, con todo el amor posible, me encuentro como el desgraciado a quien despojan de todos sus títulos y honores, y le fuerzan a entregar su espada.

16 de julio

¡Ah! ¡Qué sensación tan agradable inunda todas mis venas, cuando por casualidad mis dedos tocan los suyos o nuestros pies se encuentran debajo de la mesa! Los aparto como un rayo y una fuerza secreta me acerca de nuevo en contra de mi voluntad. El vértigo se apodera de todos mis sentidos y su inocencia, su alma cándida, no le permiten siquiera imaginar cuánto me hacen sufrir estas insignificancias. Si pone su mano sobre la mía mientras hablamos y si en el calor de la conversación se aproxima tanto a mí que su divino aliento se confunde con el mío, creo morir, como herido por el rayo, Guillermo, y este cielo, esta confianza, si llego a atreverme.. Tú me entiendes. No, mi corazón no está tan corrompido, Es débil, demasiado... ¿Pero en esto no hay corrupción?

Carlota es sagrada para mí. Todos los deseos desaparecen en su presencia. Nunca sé lo que siento cuando estoy con ella: creo que mi alma se dilata por todos mis nervios.

Hay una sonata que ella ejecuta en el clave con la expresión de un ángel: ¡tiene tal sencillez y tal encanto! Es su música favorita y le basta tocar su primera nota para alejar de mí zozobras, preocupaciones y aflicciones.

No me parece inverosímil nada de lo que se cuenta sobre la antigua magia de la música. ¡Cómo me esclaviza este sencillo canto! ¡Y cómo sabe ella ejecutarlo en aquellos

momentos en que yo colocaría contento una bala en mi cabeza! Entonces disipándose la turbación y las tinieblas de
mi alma, respiro más libremente.

18 de julio

Guillermo, ¿qué es el mundo para nuestros corazones
cuando no hay amor? Una linterna mágica sin luz. Pero
en cuanto empieza a brillar en su interior la llama, se ven
aparecer en sus paredes todo tipo de figuras, formas y colores. Aun cuando todo lo que se presenta a la vista no fuera
más que eso, aun cuando todas esas apariciones no fueran más que fantasmas pasajeros, ¿no es una gran fortuna
tomar parte en este espectáculo de ilusiones, la alegría, el
gozo de los niños y los transportes de su entusiasmo inocente y simple?

No podía ir hoy a ver a Carlota, estaba como prisionero
entre mis amigos y conocidos, de cuya compañía no podía
deshacerme. ¿Qué hacer en esta situación? Mandé a mi sirviente para verla, con el fin de tener a mi lado a alguien por
lo menos, que hubiera estado cerca de ella en el día, y esperaba que volviera con gran impaciencia, sólo comparable a
la alegría que sentí viéndole regresar. Hubo un momento
en que me hubiera aventado hacia él, que lo hubiera abrazado. ¡Tal era mi felicidad! Pero me refrené.

Se dice de la piedra de Bolonia que al exponerse al sol
atrae sus rayos, los capta y alumbra y resplandece por la
noche durante algún tiempo; pues bien, otro tanto era para
mí este sirviente. La idea de que los ojos de Carlota se
habían fijado en él, sobre su cara, sobre sus botones, sobre
el cuello de su camisa, hacía para mí todos esos objetos de
tanto interés, tan preciados. No, en ese momento yo no hubiera cedido este mancebo aunque me hubieran ofrecido

500 talegos. Su sola vista me producía un placer infinito...
Procura no reír de esto. Dime, Guillermo, ¿no es en realidad
una ilusión lo que nos brinda tanta dicha?

19 de julio

¡La veré!, exclamo con júbilo por la mañana cuando, al
despertarme lleno de alegría, dirijo mi mirada hacia el sol
que sale; ¡la veré!, y no tengo otro deseo en todo el día. Lo
demás desaparece ante esta esperanza.

20 de julio

Tu idea de que me vaya con el embajador de... no es la
mía todavía. No me gusta depender de nadie y además,
sabemos que ese hombre es repulsivo. Dices que mi madre
se alegrará de verme ocupado. Deja que ría. ¿No tengo ya
suficiente quehacer? Y en el fondo, ¿no es lo mismo contar
guisantes que lentejas? Todas las cosas del mundo vienen a
terminar en bagatelas y el que por complacer a los demás
contra su gusto y sin necesidad, se fatiga persiguiendo la
fortuna, los honores o cualquier otra cosa, es siempre un
loco.

24 de julio

Dado el interés que manifiestas en que no descuide el
dibujo, casi prefería callar a decirte que desde hace mucho
apenas y lo he atendido.

Jamás he sido tan feliz; nunca me ha impresionado la
naturaleza de manera tan honda: hasta un piedra, un tallo
de hierba... y, sin embargo, no puedo expresarme. ¡Mi imaginación está tan débil! Todo vaga y oscila de forma que ni

siquiera puedo captar un contorno. A pesar de ello, me figuro que si tuviera barro o cera, modelaría a la perfección todo lo que concibo. Si esto dura, me entretendré con barro común, aunque sólo haga bolitas.

Tres veces he comenzado el retrato de Carlota y las tres me ha salido mal. Esto me es tanto más sensible, cuanto que hace poco tenía gran facilidad para sacar el parecido. En fechas recientes he hecho su retrato de perfil; tendré que contentarme con él.

25 de julio

Sí, amada Carlota, todo se encargará y todo se ejecutará; vengan encargos con más frecuencia, vengan en todo momento. ¡Ah! Sólo pido un favor, que no haya arenilla en los billetes que recibo. Mi primer movimiento fue llevar a mis labios el de esta mañana y he sentido la arenilla hacer ruido en mis dientes.

26 de julio

¡Cuántas veces me he prometido no verla tanto! ¡Ah! ¿Quién puede resistir y cumplir este objetivo? Todos los días caigo en la tentación y al regresar de verla, me digo, como por excusa o consuelo: "¡Mañana no irás!" Llega ese mañana y con él, sin explicación, un motivo inexcusable para visitarla; y antes de que haya tenido tiempo para reflexionar sobre ello, me hallo en su casa.

Una vez, porque me dice al despedirnos "¿vendrá usted mañana?" ¿Es posible no aceptar semejante oferta? A veces me da un encargo y yo pienso que sería una falta de atención no llevarle yo mismo la contestación; y otras veces, en fin, haciendo un tiempo tan magnífico, es imposible no salir del cuarto y disfrutarlo. Entonces salgo y camino hasta Wahlheim, y al llegar, como no es más que media legua hasta su casa... me siento como atrapado en su misma atmósfera y sin saber cómo, llego a su lado.

Mi abuela nos contaba la historia de la montaña Imán; todos los barcos que pasaban cerca de ella perdían su herraje; los clavos, como si tuvieran alas, volaban hacia la montaña, se desunían de la madera y los pobres marineros quedaban perdidos y sin más remedio que tomarse de los tablones flotantes.

30 de julio

Alberto ha llegado y yo me marcharé. Aunque él fuera el mejor y más noble de los hombres, y yo reconociera mi inferioridad bajo todo concepto, no soportaría que a mi vista tuviera tantas perfecciones. ¡Tener! Basta, Guillermo; el novio está aquí. Es un joven bueno y honrado que inspira cariño. Por suerte no he presenciado su llegada; me hubiera desgarrado el corazón.

Es tan generoso que ni una vez se ha atrevido a abrazar a Carlota delante de mí. ¡Dios se lo pague! La respeta tanto, que debo apreciarle. Se muestra muy afectuoso conmigo y supongo que esto es más obra de Carlota que efecto de su propia inclinación; las mujeres son muy mañosas en este sentido y son firmes: cuando pueden hacer que dos de sus adorados vivan en buena inteligencia, lo que sucede pocas veces, lo logran, y el beneficio es sin duda para ellas. Sin embargo, no puedo negar mi estima a Alberto. Su exterior tranquilo hace un contraste muy marcado con mi carácter turbulento, que en vano me gustaría ocultar. Es sensible y no desconoce el tesoro que tiene en Carlota. Parece poco dado al mal humor que, como sabes, es el vicio que más detesto.

Me considera un hombre talentoso y mi amistad con Carlota, unida al vivo interés que tomo en todas sus cosas, da más valor a su triunfo y la quiere cada vez más. No averiguaré si suele atormentarla a solas con algún arranque de celos; pero confieso que si yo estuviera en su lugar los sentiría.

Sea lo que sea, la alegría que sentía al lado de Carlota se ha ido. ¿Diré que esto es locura o ceguera? ¿Pero qué importa el nombre? El asunto no puede ser más claro. No sé hoy nada que no supiera antes de que llegara Alberto; sabía que no debía formar ninguna pretensión con Carlota y yo la había formado... quiero decir: únicamente sentía lo que no se puede evitar al contemplar tantos hechizos; y con todo, no sé qué me pasa al ver que el otro llega y se queda con la dama.

Estoy que bramo y me burlo de mi miseria, y más aún, lanzaría mis sarcasmos sobre quien diga que debo resignarme, y que como esto no podía suceder de otro modo; ¡vayan al diablo los razonadores! Vago por los bosques y cuando llego a casa de Carlota y veo a Alberto sentado a su lado, entre el follaje del jardín, y tengo que controlarme, me vuelvo loco y hago mil necedades.

—En nombre del cielo —me ha dicho ella hoy—, te ruego que no repitas la escena de anoche; eres espantoso cuando te pones tan contento.

Te diré, entre nosotros, que acecho todos los momentos en que él tiene que hacer; de un salto, me meto en la casa y me vuelvo loco de gozo siempre que está sola.

8 de agosto

Te suplico, querido amigo, que no vayas a creer que hablaba de ti, al tratar de insoportables a los hombres que exigen resignación total ante los inevitables golpes del destino. No me imaginaba que pudiera tener semejantes opiniones. Sin embargo, en el fondo tienes razón; pero permíteme hacer un comentario. Sucede rara vez en este mundo que los eventos se encuentran sometidos a la ley absoluta del *sí* o del *no*. Hay tantos grados, tan diversos tonos en los sentimientos y en los procedimientos, como líneas distintas en una nariz chata o aguileña; y tú no extrañarás ni estarás incómodo si yo, sin dejar de aceptar tu principio, trato de escurrirme entre el *sí* y el *no*.

Aquí está tu argumento: "o tienes esperanza de ver hechos realidad tus deseos con Carlota o no la tienes. En el primer caso trabaja sin cejar para lograr tu fin; en el segundo, trata de ser hombre y refrena y doma una pasión condenable que debe consumir toda tu fuerza". Amigo mío, todo está bien dicho y es fácil decirlo.

¿Ves a ese desgraciado que empeora, que se extingue, devorado por una lenta pero continua enfermedad? ¿Puedes tú acaso exigirle terminar sus tormentos con una puñalada? El mal mismo que lo extermina, que lo mina, ¿no le quita la fuerza y el valor para liberarse de él de manera violenta? Podrías, tienes razón, responder con otra comparación semejante: ¡quién no se dejaría cortar un brazo con gangrena antes arriesgar la vida! Yo no, lo sé. Y además no nos gusta lastimarnos con comparaciones. Sí, Guillermo, algunas veces tengo raptos del valor más determinado y del más aventurado, y en esos momentos... ¡Si supiera adónde ir, lo haría en el acto!

Por la noche

Mi diario, que estaba abandonado desde hace unos días, ha llegado hoy a mis manos y me he confundido al ver señalados en él todos mis pasos. ¿Es con entero detalle cómo he llegado tan lejos? ¿No es sorprendente que haya visto con tal claridad mi estado y me haya comportado como un muchacho? Hoy lo veo todo muy claro; y, sin embargo, no hay indicios de que me corrija.

10 de agosto

Si no fuera un loco, podría pasar la vida con más felicidad y sosiego. Pocas veces se reúnen para alegrar un alma circunstancias tan favorables como las que tengo hoy. Esto afirma mi creencia de que nuestra felicidad depende del corazón. Formar parte de esta amable familia, ser querido del padre, como un hijo, de los niños como un padre, y de Carlota... Y este excelente Alberto, que no turba mi dicha con celos ni mal humor, que me profesa verdadera amistad y que ve en mí a la persona que más estima en el mundo después de Carlota... Guillermo, es un placer oírnos cuando vamos de paseo y hablamos de ella; nunca se ha imaginado nada tan ridículo como nuestra situación y, sin embargo, las lágrimas algunas veces humedecen mis ojos.

Cuando me habla de la virtuosa madre de Carlota y me cuenta que poco antes de morir dejó al cuidado de ella la casa y los niños, y al de él a Carlota; que desde entonces la joven ha revelado dotes inusitadas; que se ha vuelto una verdadera madre con la dirección de los asuntos domésticos; que todos los momentos de su vida están esmaltados por la ternura y el trabajo, sin que jamás hayan sufrido alteración su buen humor y su alegría. Yo camino junto a él, tomando las flores que encuentro a mi paso, con las que hago un bonito ramillete y lo arrojo al río, siguiéndole con la mirada mientras se aleja en las ondas mansamente. No sé si te he dicho que Alberto estará en esta ciudad permanentemente y que espera de la corte, donde goza de aprecio, un buen empleo, con buen salario. Conozco pocas personas que le igualen en el orden y el celo por los negocios.

12 de agosto

Alberto es, sin duda, el mejor de los hombres que existen; ayer me pasó con él un lance peregrino. Había ido a su casa a despedirme, pues se me antojó dar un paseo a caballo por las montañas, desde donde te escribo en este momento. Yendo y viniendo por su cuarto, vi sus pistolas.

—Préstamelas para el viaje —le dije—.

—Con mucho gusto —respondió—, si quieres tomarte el tiempo de cargarlas; aquí sólo están como un mueble de adorno.

Tomé una; él continuó:

—Desde el chasco que me he ocurrido por mi exceso de precaución, no quiero tener que ver con esas armas.

Tuve curiosidad de saber esa historia y él dijo:

—Habiendo ido a pasar tres meses en el campo con un amigo, llevé un par de pistolas; estaban descargadas y yo dormía tranquilo. Una tarde lluviosa, en que no tenía nada que hacer, tuve la idea, no sé por qué, de que podían sorprendernos, hacer falta las pistolas y… tú sabes lo que son las apreciaciones. Di mis armas para que las limpiara y las cargara. Jugando éste con las criadas, quiso asustarlas y al tirar del gatillo, la chimenea, Dios sabe cómo, se encendió y despidiendo la baqueta que estaba en el cañón, hirió en un dedo a una pobre muchacha. Para consolarla tuve que pagar la cura y desde entonces dejo siempre las pistolas vacías. ¿De qué sirve la previsión, mi buen amigo? El peligro no se deja ver por completo. Sin embargo…

Ya sabes cuánto quiero a este hombre; pero me molestan sus *sin embargo*. ¿Qué regla general no tiene excepción? Este Alberto es tan meticuloso, que cuando cree haber dicho algo atrevido, absoluto, casi un axioma, no deja de limitar, modificar, quitar y agregar hasta que desaparece todo lo que ha dicho. No fue esta vez infiel a su costumbre; yo acabé por no escuchar y zambulléndome en un mar de sueños, con repentino movimiento apoyé el cañón de una pistola sobre mi frente, arriba del ojo derecho.

—Quita eso —dijo Alberto—, mientras tomaba la pistola. ¿Qué quieres hacer?

—No está cargada —repuse.

—¿Y qué importa? ¿Qué quieres hacer? —repitió impaciente—. No comprendo que haya alguien que pueda volarse la tapa de los sesos. Sólo pensarlo me da horror.

—¡Oh, hombres! —exclamé—; ¿no sabrás hablar de nada sin decir: esto es una locura, esto es razonable, eso es bueno, eso otro es malo? ¿Qué significan todos esos juicios? Para emitirlos, ¿habrás profundizado los resortes secretos de un acto? ¿Sabes acaso distinguir con seguridad sus causas lógicas? Si tal cosa sucediera, no juzgarías con tanta ligereza.

—Estarás de acuerdo —dijo Alberto—, que ciertas cosas siempre serán crímenes, sin relevar el motivo.

—Concedido —respondí—, encogiéndome de hombros. Sin embargo, considera mi amigo que ni eso es verdad absoluta. Sin duda, el robo es un crimen; pero si un hombre está a punto de morir de hambre y con él su familia, y ese hombre, por salvarla y salvarse, se atreve a robar, ¿merece compasión o castigo? ¿Quién puede acusar a la sensible doncella que en un momento de gran éxtasis se deja llevar por las irresistibles delicias del amor? Hasta nuestras leyes, que son pedantes e insensibles, se dejan conmover y detienen la espada de la justicia.

—Eso es distinto —dijo Alberto—; el que sigue los impulsos de una pasión pierde la facultad de reflexionar y se le mira como a un borracho o un loco.

—¡Oh, hombres juiciosos! —dije con una sonrisa—. ¡Pasión! ¡Embriaguez! ¡Demencia! ¡Todo esta es letra muerta para ustedes, impasibles moralistas! Condenan al ebrio y detestan al demente con la frialdad del sacerdote que sacrifica y dan gracias a Dios, como el fariseo, porque son ni locos ni borrachos. Más de una vez me he embriagado; más de una vez me han puesto mis pasiones al·borde de la locura, y no lo siento; porque he aprendido que siempre se ha dado el nombre de beodo o insensato a todos los hombres fuera de serie que han hecho algo grande, algo que lucía imposible. Hasta en la vida privada es insoportable ver que de quien piensa lograr cualquier acción noble, generosa, inesperada, se dice a menudo: "¡Está borracho! ¡Está loco!" ¡Vergüenza para ustedes, los sobrios; vergüenza para ustedes los sabios!

—¡Siempre extravagante! —dijo Alberto—. Todo lo aumentas y esta vez llevas el humor al extremo de comparar con las grandes acciones el suicidio, que es de lo que se trata, y que sólo debe mirarse como una debilidad humana; porque con toda certeza es más fácil morir que soportar sin descanso una vida llena de amargura.

Estuve a punto de cortar la charla; no hay nada que me exaspere más que el razonar con quien sólo responde cosas sin importancia, cuando hablo con todo el corazón. No obstante, me contuve porque no era la primera vez que escuchaba tales vulgaridades que me sacan de quicio. Le respondí con alguna viveza:

—¿A eso llamas debilidad? Te ruego que no te dejes llevar por las apariencias. ¿Te atreverías a llamar débil a un pueblo que gime bajo el insoportable yugo de un tirano, si al fin estalla y rompe sus cadenas? Un hombre que al ver con espanto arder su casa siente que se multiplican sus fuerzas y carga fácilmente con un peso que sin la excitación apenas podría levantar del piso; un hombre que iracundo por sentirse insultado, acomete a sus contrarios y los vence; a estos dos hombres, ¿se les puede llamar débiles? Créeme, si los esfuerzos son la medida de la fuerza, ¿por qué un esfuerzo magnífico debe ser algo más?

Alberto me miró y dijo:

—No te enojes, pero esos ejemplos no tienen verdadera aplicación.

—Puede ser —le dije—; no es la primera vez que califican mi lógica de palabrería. Veamos si podemos representar de otra forma lo que debe sentir el hombre que se decide a deshacerse del peso, tan ligero para otros, de la vida. Pues sólo esmerándome por sentir lo que él siente podremos hablar del tema con honestidad. La naturaleza del hombre —continué—, tiene sus límites; puede tolerar hasta cierto grado la alegría, la pena, el dolor; si sigue más allá, sucumbe. No se trata entonces de saber si un hombre es débil o fuerte, sino de si puede soportar la extensión de su desgracia, sea moral o física; y me parece tan ridículo decir que un hombre que se suicida es cobarde, como absurdo sería dar el mismo nombre al que muere de una fiebre.

—¡Paradoja! ¡Extraña paradoja! —exclamó Alberto.

—No tanto como piensas —repliqué—. Acordarás en que llamamos enfermedad mortal a la que ataca a la naturaleza de tal modo que su fuerza, mermada en forma parcial, paralizada, se incapacita para reponerse y restaurar por una revolución favorable el curso normal de la vida. Pues bien, amigo mío, apliquemos esto al espíritu. Mira al hombre en su limitada esfera y verás cómo le aturden ciertas impresiones, cómo le esclavizan ciertas ideas, hasta que al arrebatarle una pasión todo su juicio y toda su fuerza de voluntad, le arrastra a su perdición. En vano un hombre razonable y de sangre fría verá clara la situación del desdichado; en vano la exhortará: es semejante al hombre sano que está junto a lecho de un enfermo, sin poder darle la más pequeña parte de sus fuerzas.

Estas ideas parecieron poco concretas a Alberto. Le hice recordar a una joven que habían hallado ahogada poco tiempo atrás y le conté su historia.

Era una dama bondadosa, encerrada desde la infancia en el estrecho círculo de las ocupaciones domésticas, de un trabajo monótono; que no conocía otros placeres que los de ir algunas veces a pasear los domingos por los límites de la ciudad con sus compañeras, engalanada con la ropa que poco a poco había podido conseguir, o bailar una sola vez en las grandes celebraciones, y charlar algunas horas con una vecina, con toda la entrega del más sincero interés, sobre tal chisme o cual disputa.

El ardor de su edad le hace sentir deseos desconocidos que aumentan con las lisonjas de los hombres; sus placeres del pasado llegan poco a poco a carecer de sabor; al final encuentra a un hombre hacia el cual le empuja con incontrolable fuerza un sentimiento nuevo para ella, y pone en él todas sus esperanzas; se olvida de todo el mundo; nada oye, nada ve, nada ama, sólo a él. No suspira más que por él, sólo por él. No está corrompida por los frívolos placeres de una inconstante vanidad y su deseo se dirige a su objeto; quiere ser de él, quiere en una unión eterna encontrar toda la felicidad que le falta, disfrutar de todas las alegrías juntas al lado de su amado. Promesas continuas ponen el sello a todas sus esperanzas; atrevidas caricias aumentan sus deseos y sojuzgan su alma por completo; flota en un sentimiento vago, en una idea anticipada de todas las alegrías; ha llegado al colmo de la exaltación.

En fin, tiende los brazos para abarcar todos sus deseos... y su amante la abandona. Se encuentra ante un abismo, inmóvil, demente; una noche profunda la rodea; no hay horizonte, no hay consuelo, no hay esperanza: la abandona quien era su vida. No ve el inmenso mundo que tiene delante, ni los muchos amigos que podrían hacerla olvidar lo que ha perdido; se siente separada, abandonada de todo el universo y ciega, triste por el horrible martirio de su corazón, para huir de sus angustias, se entrega a la muerte, que todo lo devora. Alberto, ésta es la historia de muchos. ¡Ah! ¿No es éste el mismo caso de una enfermedad? La naturaleza no encuentra ningún medio para salir del laberinto de fuerzas encontradas que la agitan y es necesaria la muerte.

Infeliz del que lo sepa y diga "¡insensata! Si hubiera esperado, si hubiera dejado actuar al tiempo, la desesperación trocada en calma hubiera encontrado otro hombre que la consolara". Esto es lo mismo que decir: "¡Loca! ¡Morir de una fiebre! Si hubiera esperado a recuperar las fuerzas, a que se purificaran los malos humores, a que cediera el arrebato de su sangre, todo se hubiera arreglado y aún estaría viva".

Como Alberto no juzgó muy exacta esta comparación, hizo nuevas objeciones; entre otros puntos, dijo que yo no había hablado más que de una joven inocente y que no debe juzgarse del mismo modo a un hombre de talento, cuya inteligencia menos limitada le permite ver el reverso de las situaciones.

—Amigo mío —dije—, el hombre siempre es hombre y la chispa del entendimiento que tengan éste o el otro, es de poca o nula utilidad, cuando al fermentar una pasión la naturaleza se arroja a los límites de sus fuerzas. Más aún... Ya volveremos a hablar de esto, dije, al tomar mi sombrero.

Mi corazón estaba a punto de estallar y nos separamos sin haber llegado a entendernos. Es verdad que en este mundo pocas veces sucede de otro modo.

15 de agosto

Es muy cierto que sólo el amor hace que el hombre necesite de sus semejantes. Sé que Carlota sentiría perderme y los niños sólo piensan, cada día más, en volver a verme el día siguiente. Hoy fui a contemplar el monocordio de Carlota; estas angelicales criaturas insistieron en que les contara algún cuento y la propia Carlota me suplicó que los complaciera. Les corté su pan y lo tomaron de mi mano, con el mismo gusto que si viniera de mano de Carlota; luego les conté la famosa historia de la princesa que era servida por manos encantadas. Te aseguro que yo mismo saco algún provecho de contar estas historias y me admiro de la impresión que crean en los niños. Viéndome a veces obligado a inventar algún incidente, me pasa que a la segunda vez lo olvido y de inmediato me gritan que la de antes no era así; de modo que ahora tengo mucha cautela de repetir siempre lo mismo, de contarlo con el mismo tono de voz y sin cambiar nada. Esto me ha enseñado y hecho conocer que un autor daña su obra al hacer una segunda versión, si introduce en ella cambio alguno, cuando la obra es de pura imaginación, aunque en verdad fuera mejor y más poética con dichos cambios. La primera impresión nos encuentra dispuestos a recibirla y el hombre está hecho de tal modo, que puede hacérsele creer hasta lo imposible; pero una vez admitidas en su imaginación estas ideas, se fijan de tal modo y con tal profundidad que gran trabajo será borrarlas o quitarlas.

18 de agosto

¿Es preciso que lo que constituye la felicidad del hombre sea de igual forma el origen de su miseria? Aquel sentimiento cálido y pleno de mi corazón ante la vivaz naturaleza, que inundaba mi alma con torrentes de delicias y convertía en un paraíso el mundo que me rodea, ha llegado a ser un insoportable verdugo, un espíritu que me atormenta y me persigue por todas partes. Cuando miraba otras veces desde las crestas de las rocas, más allá del río, hasta las lejanas colinas, el fértil valle y veía que todo germinaba con lozanía a mi alrededor; cuando veía estas montañas bordadas, desde la falda hasta la cima, de espesos y corpulentos árboles; estos valles salpicados de risueña floresta en todos sus contornos; el arroyo apacible que deslizaba, adormecido por leve ruido de los cañaverales, reflejando las matizadas nubes, que la brisa suave de la tarde se balanceaba en el cielo; cuando oía a los pájaros, animando con su voz la enramada, mientras copiosísimo enjambre de insectos jugueteaba alegre en los últimos rayos del sol, a cuyo destello el escarabajo, oculto antes debajo de la hierba, abandonaba, zumbando, su prisión; cuando el ruido y la vida llamaban mi atención hacia la tierra y el musgo que arranca su alimento a la dura roca y las retamas que crecen en la pendiente de la seca colina, me descubría la íntima, ardiente y santa existencia de la naturaleza, ¡con qué júbilo tomaba todos estos objetos mi corazón emocionado! Yo estaba como un dios en este mar de riqueza, en este enorme universo, cuyas formas sublimes parecían moverse, animando toda mi creación en lo más profundo de mí. Me rodeaban enormes montañas; tenía delante de mi desfiladeros de gran hondura, donde se precipitaban torrentes de tempestad; los ríos se deslizaban bajo mis pies; oía un rugido en los bosques y los montes, agitándose y confundiéndose todas estas fuerza enigmáticas en las profundidades terrestres, mientras sobre ella, y bajo el cielo, revoloteaban las razas infinitas de los seres que lo pueblan todo de mil maneras diferentes. Y los hombres se consideran reyes de este vasto universo, acurrucándose juntos en el nido de sus pequeñas moradas. ¡Pobre loco, a quien todo debe parecer mezquino, porque eres muy pequeño! Desde la inaccesible montaña y el desierto que ningún pie ha pisado a la fecha, hasta la última orilla de los océanos desconocidos, lo anima todo el espíritu del creador, gozándose en estos átomos de polvo, que viven y lo entienden. ¡Ah!, cuántas veces deseaba entonces, con las alas de la garza que pasaba sobre mi cabeza, trasladarme a las costas de ese inmenso mar, para beber en la espumosa copa de lo infinito esas dulces delicias y sentir, aunque sólo fuera por un instante, en el corazón, una gota de felicidad del ser que todo lo engendra en él y por él. Hermano mío, el recuerdo de tales momentos es suficiente para darme fuerza. Más aún, los esfuerzos que hago para recordar estos sentimientos inexpresables, para alcanzar a entenderlos, elevan mi alma sobre sí misma y me obligan a sentir la doble angustia de mi estado actual.

Parece que se ha levantado un velo delante de mi alma y el escenario de la vida interminable no se convierte ante mis ojos en el abismo de la tumba, siempre abierta. ¿Puedes decir "esto existe" cuando todo pasa, cuando todo se precipita con la rapidez del rayo, sin conservar casi nunca sus fuerza, y se ve, ¡ay!, encadenado, tragado por el torrente y despedazado contra las rocas? No hay momento que no te consuma, que no acabe con los tuyos; no hay instante en que no seas, en que no debas ser destructor; tu paseo más inocente cuesta la vida a millares de pobres insectos; uno solo de tus pasos destruye los dedicados edificios de las hormigas y sumerge todo un pequeño mundo en una tumba.

¡Ah!, no son las enormes y escasas catástrofes del mundo, no son las inundaciones, los temblores de tierra, que acaban con nuestras ciudades, lo que me conmueve, no. Lo que me lastima el corazón es la fuerza devoradora que se oculta en la naturaleza, que no ha producido nada que no destruya a su prójimo y a sí mismo.

De este modo, avanzo yo con angustia por mi camino de poca seguridad, cubierto por el cielo, la tierra y sus fuerzas activas; y sólo veo un monstruo dedicado noche y día a devorar y destruir.

Al agitar por las mañanas el yugo de una pesadilla, es en vano que extienda los brazos hacia ella; en vano que la busque por la noche en mi lecho, cuando un sueño alegre y simple me hace creer que estoy en el campo, sentado a su lado, tomado de su mano y colmándole de besos. ¡Ah!, cuando todavía embriagado por el sueño busco esa mano y me despierto, un raudal de lágrimas brota de mi apretado corazón y lloro sin remedio, pensando en las tinieblas del futuro.

22 de agosto

Es algo fatal, Guillermo. Mi actividad se consume en una inquieta indolencia; no puedo estar sin hacer nada y sin embargo nada hay que pueda hacer. Mi imaginación y mi sensibilidad no se conmueven ante la naturaleza y los libros me causan aburrición. Cuando el hombre no se encuentra a sí, no halla nada. Te juro que muchas veces me encantaría ser un jornalero para tener, por lo menos, al despertar, la perspectiva de un día ocupado, un móvil, una ilusión. Envidio a menudo a Alberto, cuando lo veo lleno de papeles hasta los ojos y creo que sería feliz en esa posición. Más de una vez he estado tentado a escribirte y de escribir al mismo tiempo solicitando ese empleo en la embajada que, por lo que me dices, me concederían en el acto. Así lo creo. Hace tiempo que me estima el ministro y antes me ha insistido para que acepte un empleo. Suele preocuparme esto durante una hora; pero cuando lo pienso y recuerdo la fábula del caballo que harto de su libertad, se deja poner la silla y la brida, para estar poco después rendido de cansancio... no sé lo que debo hacer. Por otro lado, querido Guillermo, este deseo de cambiar de estado que me subyuga, ¿no será una oculta e intolerable impaciencia que me seguiría a todo lugar?

28 de agosto

Sin duda si mi enfermedad tuviera cura, esta gente lo curaría. Es mi cumpleaños hoy y muy temprano he recibido un paquete de Alberto. Lo primero que ha herido mis ojos al abrirlo ha sido un lazo color rosa que llevaba Carlota la primera vez que la vi, mismo que más tarde, le pedí en repetida ocasiones; lo segundo, dos tomitos del *Homero*, de Wetstein, edición que tanto he deseado para no ir de paseo cargando la de Ernesti. Ya ves cómo previenen mis deseos; cómo buscan formas para darme estas pequeñas pruebas de amistad, mil veces más preciosas que los presentes magníficos con que nos humilla la vanidad del que nos obsequia. Beso el lazo muchas veces al día y en cada respiro saboreo el recuerdo de las felicidades con que me embriagaron esos pocos días de dicha, que se han ido para no volver. Guillermo, así debe ser y no me quejo: las flores de la vida no son sino vanas vivencias. ¡Cuántas se marchitan sin dejar el más pequeño rastro! ¡Cuán pocas fructifican y qué pocos de estos frutos llegan a madurar! Y sin embargo, hartos quedan... ¡oh, mi hermano! ¿podemos no hacer caso de los frutos maduros, despreciarlos y dejarlos podrir, sin disfrutarlos?

Adiós. El verano es magnífico. Trepo algunas veces a los árboles del jardín de Carlota y con una percha larga tomo las peras de las ramas más altas. Carlota está abajo y levanta los frutos que yo dejo caer.

30 de agosto

Desgraciado, ¿no estás loco? ¿No te engañas a ti mismo? ¿Adónde te llevará esa pasión indómita y sin propósito? No hago más oración que la que le dirijo a ella; ya no cabe en mi imaginación otra figura que la suya y todo lo que me rodea no lo veo sino con relación a ella.

Esto me da algunas horas de felicidad, que han de irse tan pronto como tengamos que separarnos. ¡Ah, Guillermo, adónde me lleva con frecuencia mi corazón! Siempre que paso dos o tres horas con ella, en la contemplación de su figura, de sus movimientos, de la maravillosa expresión que da a sus palabras, todos mis sentidos se exaltan sin sensibilidad, una sombra se extiende ante mí y mis oídos pierden la percepción; siento que aprieta mi garganta una mano asesina; mi corazón, en sus latidos precipitados, busca consuelo a mis sentidos oprimidos y no hace más que aumentar el desorden.

Guillermo, muchas veces no sé si estoy en el mundo. Y cuando me ataca la tristeza y Carlota me concede el consuelo de aliviar mi martirio, dejándome bañar su mano con mis lágrimas, necesito salir, necesito huir y corro a esconderme en la lejanía de los campos. Entonces disfruto subiendo una montaña escarpada, abriéndome paso entre un bosque espeso, por entre las breñas que me hieren y los zarzales que me despedazan. Entonces me hallo un poco mejor, ¡un poco!, y cuando muerto de sed y cansancio, sucumbo y hago una pausa; cuando en la noche profunda, con la Luna llena sobre mi cabeza, me siento en el bosque sobre un tronco torcido, para descansar los pies desgarrados, o me entrego a un sueño tranquilo durante la claridad del crepúsculo... ¡Oh, Guillermo! El silencioso albergue de una celda, un sayal y el cilicio son los únicos consuelos que mi alma espera. Adiós. No veo para esta miserable vida más fin que la muerte.

3 de septiembre

Tengo que partir, Guillermo; te agradezco que hayas fijado mi decisión dudosa. Desde hace 15 días he pensado en la posibilidad de dejarla. Tengo que irme. Está de nuevo en la ciudad, en casa de una amiga; y Alberto... y... Tengo que irme.

10 de septiembre

¡Qué noche; que noche tan horrible he tenido! Ahora tengo valor para tolerar todo. No la veré más. ¡Oh! ¡Que no pueda ir volando a arrojarme a sus brazos; que no pueda, mi hermano, decirte con un torrente de lágrimas los sentimientos que oprimen mi corazón! Estoy aquí delante de la mesa, casi sin aliento, tratando de calmarme y esperando que amanezca, pues los caballos estarán ensillados al despuntar el alba.

Carlota duerme tranquila sin sospechar que nunca me verá de nuevo. He tenido el valor suficiente para separarme de ella sin revelar mi secreto después de una conversación de dos horas. ¡Y qué conversación, Dios mío!

Alberto me había ofrecido que iría al jardín con ella, después de cenar. Yo estaba en la explanada, bajo los corpulentos castaños, viendo por última vez el sol que se oculta más allá del valle y el río que se desliza con calma. ¡Había estado tantas veces con ella en aquel sitio! ¡Había contemplado tantas veces el mismo magnífico espectáculo! Y ahora... Comencé a ir y venir por aquella alameda, tan querida, donde un secreto y simpático atractivo me había retenido a menudo antes de conocer a Carlota. ¡Con qué placer, al iniciar nuestra amistad, nos dimos cuenta juntos de la preferencia que nos inspiraba este lugar, que sin duda es uno de los más románticos que conozco de las creaciones artísticas!

A través de los castaños se descubre una enorme vista... ¡Ah! Recuerdo que te he hablado en mis cartas de estos altos muros de hayas y de la alameda en que sin sensibilidad va desapareciendo la luz cuanto más cerca está un pequeño bosque donde termina y donde todo se confunde en un lugar que parece impregnado con toda la melancolía de la soledad. Aún me dura la inefable sensación que tuve cuando estuve ahí la primera vez, en el momento en que el sol se hallaba en lo más alto de su camino; ya entonces tuve un presentimiento ligero de que el paraje sería para mí escenario de infinito dolor y grandes alegrías.

Hacía media hora que estaba absorto en los dulces y crueles pensamientos de la partida y del regreso, cuando la vi subir por la explanada. Corrí hacia ella, tomé su mano con la mayor emoción y se la besé. Llegábamos a lo más alto cuando apareció la Luna por detrás de las zarzales y cubrían la colina. Hablábamos de cosas diferentes y nos acercamos a la sombría plazoleta. Carlota entró y se sentó; Alberto se puso a un lado de ella y yo al otro; pero mi inquietud no me permitía estar sentado mucho tiempo. Me levanté, me coloqué delante de ella; di algunos pasos y volví a sentarme. Sentía algo parecido a la agonía. Carlota nos hizo ver el bello efecto de la Luna, que desde la punta de las hayas alumbraba toda la explanada. La escena era soberbia y tanto más sublime para nosotros pues nos rodeaba una oscuridad casi total. Después de un breve rato, en que todos estuvimos callados, Carlota tomó la palabra.

—Nunca —dijo—, nunca me paseo a la claridad de la Luna sin recordar a mis queridos difuntos, sin sentirme conmovida por la idea de la muerte y del futuro.

—¡Subsistiremos! —añadió con un acento que revelaba la sensación más viva—. Pero, Werther, ¿volveremos a encontrarnos? ¿Nos reconoceremos? ¿Qué piensas? ¿Cuál es tu opinión?

—Carlota —exclamé—, dándole la mano y con los ojos llenos de lágrimas; ¡sí, volveremos a vernos! ¡En esta vida y en la otra!

No atiné a decir más, Guillermo. ¿Era necesario que ella me hiciera alguna pregunta, cuando todo mi ser estaba lleno con la idea de esta cruel separación?

—Y nuestros queridos muertos —siguió ella—, ¿saben algo de nosotros? ¿Tienen alguna idea de que los llevamos en la memoria, con ine-fable cariño, en nuestros momentos de felicidad? ¡Oh! La imagen de mi madre vaga siempre a mi alrededor, cuando estoy sentada en la noche en medio de sus hijos, de mis hijos, que se agrupan a mi alrededor como lo hacían al suyo. Si entonces dirijo al cielo mis ojos, bañados por una lágrima de deseo, anhelando que vea cómo cumplo la palabra que le entregué en su lecho de muerte de ser la madre de sus hijos, exclamo, llena de emoción: ¡Perdóname, madre amada, si no soy para ellos lo que tú fuiste. ¡Ah! Hago todo lo que puedo; están vestidos y alimentados, y sobre todo, los cuido y los amo; si pudieras ver nuestra unión, ¡oh, alma queridísima!, elevarías las más vivas acciones de gracias a ese Dios a quien pedías con amargo llanto, el último que brotó de tus ojos, que hiciera felices a tus hijos…

Esto decía Carlota. ¡Oh, Guillermo!, ¿quién puede repetir su dicho? ¿Cómo la letra, fría e insensible, podría reproducir su palabra, que era flor celestial de su alma?

Alberto, la interrumpió y le dijo dulcemente:

—Carlota, eso te afecta demasiado. Comprendo que esas ideas te son queridísimas, pero te ruego…

—Alberto —dijo Carlota—, ya sé que no has olvidado aquellas noches en que nos sentábamos alrededor del velador, cuando papá no estaba y habíamos acostado a los niños. Tú tenías casi siempre un buen libro y casi nunca nos leías en él. La conversación de aquella criatura sublime, ¿no era preferible a todo? ¡Qué mujer! Amable, bella, siempre alegre y siempre trabajadora… ¡Dios sabe las veces que arrodillada sobre mi lecho y llorando, le había pedido que me hiciera semejante a mi madre!

—Carlota —dije—, arrojándome a sus pies y estrechando su mano, que bañaba con mis lágrimas—; Carlota, que siempre te acompañen la bendición de Dios y el espíritu de tu madre.

—¡Si la hubieras conocido! —dijo—, apretándome la mano. Era digna de que la conocieras.

Creía que me anonadaba: nunca se había pronunciado en mi elogio palabra más grande, más gloriosa.

Carlota prosiguió:

—¡Y esta mujer ha muerto en la flor de la edad, cuando su último hijo no tenía seis meses de vida! Su enfermedad no fue larga; estaba resignada y tranquila; su única pena era abandonar a sus hijos, sobre todo al más pequeño. Cuando entraba en la agonía, me dijo: "Tráemelos!" Yo los llevé; los menores no comprendían su desgracia; los más grandes estaban muy afectados. Cuando rodearon su lecho, levantó las manos al cielo y rogó por ellos; luego, uno tras otro, los besó; después les dio el último adiós y me dijo: "Tú serás la madre". Como respuesta estreché su mano. "Mucho me prometes, hija mía, me dijo. A menudo he visto en tus lágrimas de reconocimiento que entiendes lo que hay en las miradas y el corazón de una madre. Ten ambas cosas para tus hermanos y para tu padre, la fidelidad y obediencia de una esposa. Serás su consuelo".

Pidió que entrara mi padre, que había salido para esconder el inmenso dolor que le abrumaba; tenía el corazón hecho pedazos. Tú, Alberto, estabas en la alcoba. Oyó que alguien se paseaba; preguntó quién era y dijo que te acercaras. Nos miró fijamente y su mirada tranquila mostraba la idea de que juntos seríamos felices.

Alberto se arrojó en sus brazos y dijo:

—¡Lo somos! ¡Lo seremos!

El flemático Alberto estaba fuera de sí; yo no me conocía a mí mismo.

—Werther —siguió ella—, ¿y esta mujer debía morir? ¡Oh, Dios! Cuando algunas veces pienso cómo nos dejamos robar lo que más amamos en el mundo… Y nadie lo siente con tanta fuerza como los niños; los míos, mucho después, se quejaban de que los hombre negros se habían llevado a mamá.

Carlota se levantó; yo, temblando, pero dejando el letargo que me dominaba, seguí sentado y estrechando con mis manos una de las suyas.

—Debemos volver a casa —dijo—; ya es hora. Quiso retirar su mano y la retuve con brío. ¡Volveremos a vernos!, exclamé. ¡Volveremos a encontrarnos! Sea la que sea nuestra forma, nos reconoceremos. Me voy, continué, me voy por voluntad propia; pero si creyera que nuestra separación sería eterna, no podría soportarlo. ¡Adiós, Carlota; adiós, Alberto! Nos volveremos a ver.

—Creo que mañana —dijo ella en tono de broma.

Este *mañana* atravesó mi corazón. ¡Ah! Ella no sabía, cuando separó su mano de la mía...

Se fueron alejando. Yo me quedé inmóvil, siguiéndolos con la mirada, a la luz de la Luna. Me arrodillé, lloré sin reserva, me levanté de repente, corrí a la explanada y todavía, a lo lejos, bajo la sombra de los altos tilos, cerca de la puerta del jardín, vi brillar su blanco vestido. Extendí los brazos hacia ella y desapareció.

Libro Segundo

Llegamos ayer. El embajador está indispuesto y estará en cama algunos días. Si cuando menos fuera un hombre de buen trato, todo marcharía bien. Lo veo, lo veo: la suerte me ha deparado pruebas difíciles. Pero, ¡ánimo! Un carácter ligero lo soporta todo. ¡Un carácter ligero! Risa me da ver que esta frase ha escapado de mi pluma. ¡Ah! Si fuera más superficial, sería el hombre más feliz del mundo. Otros, pobres de fuerza y de talento se pavonean delante de mí con aire de suficiencia y yo me desespero de mis energías y de mis dotes. Tú, Señor, que me has dado todos estos bienes, ¿por qué no me negaste la mitad, para concederme la confianza y la satisfacción de mí mismo?

¡Paciencia, paciencia! Todo mejorará. Sí, amigo mío, confieso que tienes razón; desde que paso todos los días entre la multitud y veo lo que son los demás y cómo se conducen, estoy mucho más alegre de ser como soy. Sin duda, pues nos han hecho de modo que todo lo que comparamos con nosotros mismos y a nosotros mismos con todo, el bien o el mal está en los objetos que nos sirven para el paralelo y por lo tanto nada me parece más dañino que la soledad.

Nuestra imaginación, tendiente por naturaleza a exaltarse, alimentada por imágenes fantásticas de la poesía, se forja una serie de seres, entre los que ocupamos el último lugar y todo nos parece más grande fuera de nosotros y todas las personas mejores que la nuestra. Sin duda, esto es natural; a cada paso notamos que nos faltan muchas cosas y precisamente creemos que otro posee lo que nos falta; le atribuimos todo cuanto tenemos y le encontramos, además, cierto atractivo ideal. Entonces este hombre feliz es perfecto; es la creación de nuestra fantasía.

Al contrario, cuando con toda nuestra debilidad y nuestro esmero continuamos nuestro trabajo sin distracción, vemos a menudo que caminando lentamente y bordeando, avanzamos más que otros a fuerza de velas y remos... Y, sin embargo, siempre está contento de sí el que marcha al lado de los demás o logra adelantarlos.

26 de noviembre

A decir verdad, empiezo a estar muy bien aquí. Lo mejor es que no me falta trabajo y que esta gente y estas fisonomías de todas clases, nuevas para mí, me divierten. He hecho conocimiento con el conde de C., a quien estimo más día con día. Persona de superior inteligencia, no es, sin embargo, un corazón frío, aun cuando sus luces abarquen amplias extensiones. Su trato muestra un alma formada para la amistad y la ternura. Se ha encariñado conmigo por un negocio cuyo arreglo se me encomendó. Desde las primeras frases vio que nos entendíamos y que podía hablarme de modo distinto que a los demás. No encuentro palabras para alabar la franqueza con que me honra, ni hay nada en el mundo que produzca alegría tan grande y real como hallar una alma privilegiada que nos abre su corazón.

24 de diciembre

El embajador me hace pasar muy malos ratos, lo que yo ya preveía. Es el tonto más puntilloso de la tierra; camina paso a paso y es meticuloso co-mo una solterona; nunca está contento consigo mismo, ni hay forma de contentarle. Me gusta trabajar de prisa y no retocar lo que escribo: él es capaz de devolverme una minuta y decir: "Está bien, pero repásala; siempre se encuentra una expresión mejor o un término más adecuado". Cuando así sucede, me daría a todos los demonios. No ha de faltar una conjunción; es enemigo mortal de las inversiones gramaticales que a veces se me van; no entiende más periodo que el que se escribe con la cadencia tradicional. Es un suplicio entenderse con hombre así.

Lo único que me consuela es la amistad del conde C. Hace unos días me mostró con la mayor franqueza que le fastidian la lentitud y la nimiedad características del embajador. "Esta gente es una polilla para sí misma y para los demás", decía; "pero hay que padecerla, como cualquier viajero enfrenta el estorbo de una montaña. Si ésta no estuviera, el camino sin duda sería más sencillo y más corto; pero la montaña existe y hay que superarla".

El viejo conoce bien la preferencia que sobre él me tiene el conde; esto lo quema y usa las oportunidades que se le dan para hablar mal de él en presencia mía. Desde luego lo contradigo y ya tenemos altercado. Ayer, por ejemplo, me tomó por su cuenta y me sacó de mis casillas. Decía "el conde conoce bien los negocios del mundo, tiene facilidad para el trabajo y escribe bien; pero como casi todo literato, carece de conocimientos profundos". Después hizo una mueca que podría entenderse como "¿te llega a ti ese dardo?" Pero no tuvo efecto en mí. Desprecio a quien piensa y

se conduce de este modo y le respondí con viveza, que el
conde merece mayor respeto, tanto por su carácter como
por su instrucción. Agregué: "No conozco a nadie que haya
desarrollado mejor su talento y haya podido aplicarlo a gran
cantidad de objetos, sin perder toda la actividad necesaria
para la vida cotidiana". Hablar así a este imbécil era hablarle en griego y me despedí de él para evitar que me agitara
más la bilis con sus majaderías. Y toda la culpa es de los que
me han amarrado a este yugo con todas las maravillas sobre la actividad. ¡Actividad! Remaría por propia voluntad
10 años más en la galera donde ahora estoy, si el que no
tiene otra ocupación que la de plantar patatas y vender su
grano a la ciudad no hace más que yo. ¿Y la miseria brillante que veo, el tedio que priva entre esta gente, esta manía de
clases que les hace acechar y buscar la oportunidad de levantarse unos sobre otros, fútiles y mermadas pasiones que
se presentan al desnudo? Aquí, por ejemplo, hay una mujer
que no habla a nadie más que de su nobleza y sus fincas, de
tal modo que los forasteros dirán para sí: "Esta es una san-
día, a quien un poco de nobleza y cuatro terrones le han
devuelto el juicio". Pero esto no es lo peor: la susodicha es
tan sólo hija de un escribano de estos lugares. No puedo
comprender a la especie humana, que tiene tan poco juicio,
que se prostituye con mezquindad. Guillermo, cada día me
convenzo más de lo estúpido que es querer juzgar a los demás. ¡Tengo tanto que hacer conmigo mismo y con mi
corazón, tan turbulento! ¡Ah! Dejaría gustoso seguir a todos
su camino, si ellos también me dejaran caminar el mío.

Lo que más me irrita son las miserables distinciones sociales. Sé como cualquiera lo necesaria que es la diferencia
de clases y conozco sus puntos favorables, de los que yo
mismo tomo ventaja; pero no quisiera que vinieran a estor-
barme el paso justo cuando podría tener aún alguna leve

alegría, algún indicio de felicidad. He hecho conocimiento en el paseo con la señorita B., criatura amable que en medio del mundo infatuado en que vive, conserva naturalidad. Nuestra plática nos fue grata a los dos y al separarnos le pedí permiso para visitarla. Me lo concedió con tal franqueza que apenas pude esperar la hora de acudir a su encuentro. No es de aquí y vive con una tía. La fisonomía de la vieja me desagradó; yo me mostré atento con ella, le dirigí casi siempre la palabra y en menos de 30 minutos adiviné lo que la sobrina me confesaría más tarde; resulta que su tía a su edad carece de todo: de fortuna y de talento. No tiene más recursos que una larga lista de abuelos, en la que se protege como detrás de un muro, ni más diversión que la de mirar altanera a la gente que pasa bajo su balcón.

Debe haber sido hermosa cuando joven y ha pasado la vida en cosas sin importancia; ha sido por capricho el tormento de algunos jóvenes infelices y después, en la madurez aceptó con humildad el yugo de un oficial, de edad avanzada, que por un mediano pasar sufrió con ella su últimos días y murió; pero ahora ella se ve sola y nadie la miraría si su sobrina no fuera tan amable.

8 de enero de 1772

¡Qué pobres hombres son los que entregan su alma a los cumplimientos y cuya única ambición es ocupar la silla más visible de la mesa! Se entregan con tal vehemencia a estas tonterías, que no tienen tiempo de pensar en los asuntos de importancia verdadera. Una de tantas sandeces nos aguó toda una fiesta la última semana.

¡Necios! No ven que el lugar no tiene importancia y que el que ocupa el primer puesto juega muy pocas veces el primer papel. ¡Cuántos reyes están gobernados por sus ministros! ¡Cuántos ministros, por sus secretarios! ¿Y quién es el primero? Yo creo que aquél cuyo ingenio controla al de los demás y por su carácter y destreza transforma las fuerzas y pasiones ajenas en artífices de sus deseos.

20 de enero

Necesito escribirte, mi querida Carlota, aquí en un rincón de una posada de aldea, donde me refugié para escapar de una tempestad. Desde que estoy en este triste albergue de D., entre personas raras, ajenas por completo a mi corazón, ni un instante siquiera he sentido la necesidad imperiosa de escribirte. Pero en esta cabaña, en la soledad, en esta cárcel, mientras que la nieve y el granizo golpean mi ventana, ha sido tuyo mi primer pensamiento. Desde que llegué, ¡oh, Carlota!, tu imagen y recuerdo, recuerdo tan vivo y santo, se han apoderado de mí y creo, ¡Dios mío!, sentir todas la alegrías de nuestro primer encuentro.

¡Si pudieras verme, querida, en medio del torrente de distracciones que me asedia! Todas mis sensaciones se enervan y pierden sensibilidad. Ni un solo instante de gozo para mi corazón, ni el más insignificante descanso para mi alma. Nada, nada; estoy aquí como si asistiera a una función de sombras chinescas. Veo pasar y repasar delante de mí hombrecitos y caballitos, y me pregunto muchas veces si no es una ilusión. Yo formo parte de los personajes y desempeño también mi papel; más bien, se me obliga a hacerlo, se me hace actuar como un autómata. Si tomo la mano de quien está más cerca, retrocedo con espanto, pensando que es de madera.

Por la noche hago proyecto de ir a ver la alborada del día siguiente: amanece y me quedo en la cama. De día juego con la idea de ver después la Luna y cuando oscurece, me

olvido del tema en mi alcoba. Apenas me explico por qué
me levanto y por qué me acuesto.

El resorte que daba movilidad a mi existencia se ha roto;
el encanto que me tenía despierto en las tinieblas de la noche y me desvelaba en la mañana se ha ido. Sólo una criatura
he visto acá digna del nombre de mujer: la señorita B. Se
parece a mi querida Carlota, si es que algo puede parecérsete.
¿Y qué?, dirás, ¿ahora me vienes con galanterías? Si, no es
esto de total falsedad; desde hace algún tiempo soy muy
adulador... porque no puedo ser otra cosa. Me doy aires de
ingenio y dicen las damas que nadie puede hacer un elogio
más delicado que yo. Añade: ni mentir, porque lo uno va
siempre con lo otro. Creo que te decía de la señorita B. En el
fuego de sus ojos azules se adivina naturalmente la energía
de su alma. Su posición la mortifica, pues no alcanza a satisfacer ninguno de los deseos de su corazón. Aspira a
alejarse del torbellino social y soñamos horas enteras con
una felicidad pura, en medio del campo. ¡Ah! ¡Cuántas veces, Carlota, la he forzado a admirarte! ¿Forzado? No: su
admiración es auténtica. ¡Tiene tanto gusto en oír de Carlota! ¡La quiere tanto! ¡Oh, si yo estuviera sentado a tus pies,
en aquel gabinete seductor y apacible, con los niños corriendo alrededor nuestro! Cuando te molestara el ruido, les
reuniría y los haría guardar silencio contándoles algún cuento pavoroso. El sol desciende con majestuosidad detrás de
las colinas llenas de nieve; la tempestad ha terminado, y
yo... debo regresar a mi jaula. ¡Adiós! ¿Está Alberto a tu
lado? ¿Qué digo? Dios perdone mi pregunta.

8 de febrero

Hace una semana que el tiempo no puede ser peor y me
alegro, pues desde que estoy acá no he logrado ver un buen

día, sin que algún inoportuno me lo arruine o me lo robe. Al menos, cuando llueve con fuerza, cuando nieva, cuando hiela o deshiela, me digo: "Mejor me quedo en casa"; pero si amanece soleado, si todo augura un buen día, nunca dejo de decir: "Éste es un favor del cielo que podemos usurpar unos a otros". No hay nada que el hombre no se quite sin escrúpulos: salud, reputación, alegría, descanso. Desde luego, casi siempre por necedad, estrechez y egoísmo; y según ellos, con la mejor intención. Algunas veces quisiera rogarles que no se desgarraran las entrañas de forma tan encarnizada.

17 de febrero

Temo que el embajador y yo no tengamos muchos acuerdos. Es completamente insoportable. Su manera de llevar los negocios y de trabajar es tan ridícula, que no puedo dejar de oponerme a él y hasta de actuar algunas veces según mi opinión, lo cual desde luego le disgusta; hasta ha elevado una queja sobre mí a la corte, por lo que he recibido una reconvención del ministro, muy suave, pero al fin una reconvención.

Iba a solicitar una licencia temporal, cuando recibí de él una carta personal, en vista de la cual he bajado la cabeza y alabo el buen sentido, el juicio recto, noble y elevado que le ha dictado. ¡Con qué delicadeza hace justicia a mis capacidades (incluso exageradas) de actividad, de influencia sobre otros, de penetración en los asuntos; aptitudes que tiene la amabilidad de calificar de noble ardor juvenil! ¡Cómo modera y reprime el exceso de mi sensibilidad! No trata de oprimir mis ideas, sino de moderarlas, suavizarlas y dirigirlas hacia un objeto sobre el que puedan actuar con toda amplitud y ventaja. Esto me ha reconfortado para ocho días y me ha reencontrado conmigo mismo. Esta paz es un tesoro, es la verdadera felicidad. ¡Ay, amigo mío! ¿Por qué una alhaja tal es tan frágil, tan extraña y a la vez tan preciosa?

20 de febrero

¡Que Dios lleve su bendición a ustedes, amigos míos, y les dé cada día la felicidad que a mí me niega! Gracias, Alberto, por haberme engañado. Esperaba recibir noticias de su boda y ese día me había propuesto quitar de la pared el retrato de Carlota, guardándolo con otros papeles. ¡Ya están unidos y su imagen se halla en el mismo sitio! Pues bien, que se quede en su lugar. ¿Y por qué no habría de quedarse? Sin dañarte en forma alguna, ¿no tengo también yo un lugar en el corazón de Carlota? Sí, lo sé; sé que ocupo el segundo lugar y quiero y debo conservarla por esa razón. Si llegara a saber que podía olvidarme, me volvería loco de furia... Esta sola idea, Alberto, es un infierno. ¡Adiós, Alberto! ¡Adiós, Carlota, ángel del cielo, adiós!

15 de marzo

He sufrido una mortificación que me llevará de aquí. Estoy furioso. Lo dicho, esto es hecho y ustedes son los únicos culpables; ustedes, que me han excitado, atormentado, forzado a tomar un destino que no deseaba. Nos hemos lucido. Y para que no me digas que lo estropeo todo con mis ideas exageradas, voy, querido amigo, a decirte lo sucedido, con la sencillez y exactitud del cronista.

El conde de C. me aprecia y me distingue: ya lo sabes, porque lo he dicho muchas veces. Ayer comí en su casa. Justo era uno de los días en que por las tardes tiene tertulia, a la que asisten las damas y caballeros más distinguidos. Yo no había pensado en semejante cosa y jamás pude imaginar que nosotros, los menos encopetados, estábamos de más. Comí y después estuve paseando y charlando con el conde en el gran salón. Llegó el coronel B., que se unió a la conversación, y por fin sonó la hora de la tertulia. ¡Bien sabe Dios que no pensaba en ello! Entra la nobilísima señora de S., con su marido y la pava de su hija, que tiene el pecho como una tabla y un talle que no es talle. Pasaron delante de mí con el aire de desdén común en ellos. Como no me inspira la gente de esta clase más que una honda antipatía, opté por retirarme, y esperaba sólo a que el conde estuviera libre de la fastidiosa palabrería, cuando entró la señorita B. Como siempre que la veo se impresiona un poco mi corazón, me quedé y me coloqué detrás de su asiento. Llegué a observar que me hablaba con menos franqueza de la habitual y con alguna tensión. Esto me sorprendió. "¿Es ella como todas estas personas?", me pregunté. Estaba picado y quería irme; sin embargo, me quedaba, esperando que con alguna frase que me dirigiera llegara a convencerme de que mi pregunta carecía de justicia y... qué se yo. Mientras tanto, el salón se llenó. El barón F., que llevaba todo un guardarropa del tiempo en que se coronó Francisco I; el consejero áulico R., que se anuncia haciéndose llamar *su excelencia*, con su mujer, que es sorda, etcétera. No debo omitir a J., el desaliñado, que tapa los hoyos de su traje gótico con retales del día. Estas y otras personas entraron, mientras yo hablaba con otras conocidas mías, que me parecieron muy lacónicas. Pensando y atendiendo únicamente a B., no noté que las señoras cuchicheaban en un rincón del salón y que algo extraordinario sucedía entre los caballeros; no observé que la señora de S. hablaba aparte con el conde. (Todo esto me lo dijo después la señorita B.). Por último, el conde vino hacia mí y me llevo al hueco de la ventana.

—Ya conoces —me dijo—, nuestras costumbres. He observado que la gente en general está descontenta de verte aquí y aunque yo no querría, por nada del mundo…

—Perdóneme, señor —dije interrumpiéndolo— Debí darme cuenta, lo sé, y se también que perdonará esta irreflexión.

Haciendo una cortesía y riendo, añadí:

—Ya había pensado retirarme y no sé qué maligno espíritu me detuvo.

El conde apretó mi mano de un modo que expresaba cuánto podía decir. Me escurrí despacio y fuera ya de la reunión, subí a mi birlocho y fui a M. para ver desde la colina el atardecer, leyendo el magnífico canto en que habla Homero de cómo Ulises fue alojado por uno que guardaba puercos. Hasta ahí, todo iba bien.

Por la noche regresé a mi posada a cenar. Sólo encontré a algunas personas, que jugaban dados en el comedor, en un ángulo de la mesa, para lo cual habían alzado un poco los manteles. Entró el apreciable Adelín, dejó su sombrero, mientras me dirigía la mirada, vino hacia mí y dijo en voz baja:

—¿Con que has tenido un disgusto?

—¿Yo?

—El conde te ha corrido de su tertulia.

—Cargue el diablo con ella. Salí para respirar un aire más puro.

—Me alegro de que no des importancia a lo que carece de ella; sólo siento que el caso se haya hecho público.

Esto hizo que se despertara mi enojo. Conforme llegaba la gente para sentarse a la mesa, me miraban y yo decía para mis adentros: "Te miran por lo de la reunión". Y esto me quemaba la sangre.

Y como ahora, adondequiera que vaya, oigo decir que los que me envidian baten palmas; que me citan como un ejemplo de lo que sucede a los presuntuosos que creen tener la facultad de prescindir de todas las consideraciones porque están dotados de algún ingenio; y oigo además otras majaderías semejantes, de buen grado me acuchillaría el corazón. Digan lo que digan los caracteres despreocupados, yo querría saber quién es el que puede soportar que tanto bellaco murmure de él en esta forma. Sólo cuando la murmuración carece de bases es fácil despreciar a los murmuradores.

16 de marzo

Todo conspira en mi contra. Hoy hallé en el paseo a la señorita B. Me vi forzado a acercarme y apenas nos alejamos un poco del resto, le di mil quejas por lo que anteayer sucedió con ella.

—¡Oh, Werther! —me dijo con la mayor ternura—, ¿cómo interpreta tan mal aquel trastorno mío, usted que me conoce tan bien. ¡Cuánto he sufrido por usted desde que lo vi en el salón! Todo lo adiviné; 100 veces estuve a punto de decírselo. Sabía que las señoras de S. y de T. se marcharían con sus maridos si no se iba; sabía que el conde no se atrevería a romper con ellos... ¡y ahora me pide cuentas!

—¡Cómo, señorita! —dije—, cubriendo mi trastorno y sintiendo agua hirviendo correr por mis venas, al tiempo que recordaba todo lo que me había dicho Adelín.

—¡Cuánto me ha costado todo esto! —dijo aquella belleza, con los ojos llenos de llanto.

Dejé de ser dueño de mí y poco faltó para que me lanzara a sus pies.

—¡Explíquese! —le dije.

Sus lágrimas rodaron; yo estaba fuera de mí. Se enjugó el llanto, sin tratar de ocultarlo.

—Mi tía —continuó—, a quien ya conoce, estaba presente. ¡Gusto le dio verle conmigo! Werther, ayer por la noche y esta mañana he tenido que sufrir un sermón por ser su amiga y me he visto forzada a oír que lo insultaban, que lo humillaban, sin poder defenderlo, sin atreverme a hacerlo más que a medias.

Cada palabra que decía era una espada que cruzaba mi corazón. Sin entender el bien que me hubiera hecho al ocultar todas estas cosas, siguió diciendo lo que de mí se había dicho y quiénes se enorgullecieron del triunfo, celebrando que se había castigado mi orgullo y mi desprecio hacia los demás, cosas que hace tiempo me reprochan.

¡Y oírlo todo de ella, Guillermo; oírlo de ella, cuyo afecto para mí es verdadero y hondo! Quedé anonadado y todavía crece la ira en mi pecho. Quisiera que alguno de ellos tuviera el valor de pronunciar una palabra delante de mí, para atravesarle parte por parte con mi espada. Me calmaría si viera correr la sangre. ¡Ah!, más de 100 veces he tomado un cuchillo para acabar con mi asfixia. Dicen que hay una noble raza de caballos que enardecidos y cansados al extremo, se muerden por instinto una vena para respirar con más facilidad. Muchas veces estoy en este caso; querría abrirme una vena que me diera la libertad infinita.

24 de marzo

He pedido mi cesantía con esperanza de conseguirla y de que me perdonarás el que lo haya hecho sin consultarte.

Necesito salir de aquí y sé todo lo que pudieras decir para evitarlo; di a mi madre lo que sucede, de modo que no se moleste. Es preciso que lleve con paciencia el que no la satisfaga quien ni a sí mismo puede satisfacerse. No dudo que esto le dará mucha pena. ¡Ver que su hijo se detiene de pronto en la brillante carrera que le llevaba a los puestos de consejero y embajador! ¡Ver que se desvía del camino! Haz todas las objeciones que se te ocurran y cuantas combinaciones conduzcan a demostrar en que casos podía y debía seguir aquí; he decidido irme y me voy. Para que sepas adónde, te diré que mi compañía es muy grata al príncipe de Z., y que cuando supo de mi decisión, me pidió que le acompañe a sus estados para pasar la primavera. Me ha prometido libertad absoluta y como estamos de acuerdo en casi todo, voy a correr el riesgo y me iré con él.

Post-Scriptum

19 de abril

Te agradezco tus dos cartas. No he contestado porque para enviarte ésta, esperaba recibir el cese de la corte; temía que mi madre influyera con el ministro y acabara con mis planes; pero ya está todo arreglado, pues mi renuncia ha sido aceptada. No te diré la repugnancia con que han accedido a mis deseos, no lo que me escribe el ministro, porque aumentarían tus lamentaciones. El príncipe heredero me ha dado una gran suma de despedida; 25 ducados, escribiéndome palabras que me han enternecido hasta las lágrimas. No necesito entonces el dinero que últimamente había solicitado a mi madre.

5 de mayo

Salgo mañana y como sólo son seis millas de camino al lugar donde nací, quiero volver a verle y recordar los días de mi infancia, que fueron como un sueño.

Quiero entrar por la misma puerta por donde salí con mi madre cuando, después de morir mi padre, abandonó esta querida y tranquila aldea para encerrarse en esa espantosa ciudad. Adiós, Guillermo; ya sabrás de mi viaje.

9 de mayo

He visitado el pueblo que me vio nacer, con la devoción de un peregrino, impresionándome una parte de sentimientos que no esperaba. Hice detener el coche cerca del gran tilo que hay a un cuarto de legua de la población, al sur; me bajé y mandé al cochero que fuera adelante, para seguir yo a pie y saborear todos los recuerdos con la viveza y plenitud de la novedad. Me detuve bajo el tilo que en mi infancia fue objeto y final de mis paseos. ¡Qué diferencia! Entonces, con dichosa ignorancia, me lanzaba con ímpetu hacia ese mundo desconocido en que esperaba encontrar mi corazón todo el alimento, todas las venturas que debían colmar y satisfacer la efervescencia de mis deseos. Ahora vuelvo ya de ese vasto mundo y ¡oh, amigo!, ¡cuántas esperanzas perdidas!, ¡cuántos planes destruidos! Aquí tengo frente a mí las montañas que mil veces contemplé como el objeto de mi deseo.

En aquella época podía quedarme en estos sitios durante horas, pensando escalar esas alturas, llevando mi pensamiento al fondo de los valles y de las alamedas que veía entre las tintas suaves del crepúsculo; y cuando llegaba el momento de regresar a casa, abandonaba este paraje

querido con inefable pena. Al acercarme al pueblo he saludado todos los viejos pabellones de los jardines, mis antiguos
conocidos. Las nuevas casas no me gustan, como todos los
cambios que he visto. Pasé la puerta de entrada a la población y sí que me hallé dentro de mis recuerdos. Amigo mío,
no quiero abundar en detalles; la relación sería tan pesada
como grande ha sido el placer que he tenido. Pensaba quedarme en la plaza, justo al lado de nuestra antigua morada.
Vi al pasar que la escuela, donde una buena vieja nos re-
unía cuando chicos, se había convertido en una especiería.
Recordé la inquietud, los temores, los apuros y las aflicciones que había sufrido en aquella especie de agujero. No daba
un paso que no me produjera emoción. No encuentra un
peregrino en Tierra Santa tantos lugares consagrados por
recuerdos religiosos y dudo que su ser sienta emociones tan
puras. Ahí va una entre mil: bajé por la orilla del río adelante hasta una alquería, adonde iba yo con mucha frecuencia:
es un paraje pequeño, donde los muchachos nos divertía-
mos en lanzar piedras a la superficie del agua para ver quién
las hacía rebotar mejor.

Recordé vívidamente que me detenía a veces a ver correr el agua, formándome las ideas más hermosas de su
curso; recordé las caprichosas pinturas que hacía de los pai-
sajes donde aquella corriente debía ir a parar; recordé que
pronto hallaba mi imaginación los límites de esos países y
que, no obstante, yo iba más lejos, siempre, y acaba perdido
en la contemplación de un paisaje lejano y vaporoso. Amigo: así, con esta felicidad, vivieron los venerables padres
del género humano: tan infantiles fueron sus impresiones
y su poesía. Cuando Ulises habla del mar inmenso y de la
tierra ilimitada, su lenguaje es real, humano, íntimo, sorprendente y misterioso. ¿De qué me sirve repetir con todos
los colegiales que la Tierra es redonda? ¡La Tierra! Sólo

necesita el hombre algunas paletadas para su goce y aún menos para su descanso eterno.

Estoy ahora en la casa de campo del príncipe. Se vive muy bien con él; es la verdad y la sencillez en persona; pero está rodeado de gente singular que no acabo de entender. Sin tener el aspecto de unos bribones, tampoco tienen el de los hombres de bien. Algunas veces los considero respetables y, sin embargo, no alcanzo a confiar en ellos.

Me molesta que el príncipe hable a menudo de cosas que ha oído decir o que ha leído, copiando siempre servil lo que lee y lo que oye. Añade a esto que tiene en más mi talento que mi corazón, este corazón, única cosa que me enorgullece, única fuente de fuerza, de felicidad y de infortunio. ¡Ah! Lo que yo sé cualquiera lo puede saber; pero mi corazón sólo lo tengo yo.

25 de mayo

Me rondaba una idea en la cabeza de la que no quería hablar sino después de llevarla a cabo; ahora que no sucederá puedo hablar de ella. Quería ir a la guerra y este deseo ha ocupado mi corazón mucho tiempo; motivo primordial que me llevó a acompañar al príncipe, que es general al servicio de Prusia. Un día que paseábamos, le revelé mi intención y el se esforzó en disuadirme; si no hubiera escuchado sus razones, hubiera habido en mí más pasión que capricho.

11 de junio

Di lo que quieras, no puedo permanecer más tiempo. ¿Qué haría aquí? El príncipe me trata muy bien, como puede tratarse a un hombre y, sin embargo, no estoy a gusto; el tiempo se me hace eterno. En el fondo, no tenemos nada en común. Es hombre de talento, pero adocenado. Su plática no tiene para mí mayor atractivo que la lectura de un libro bien escrito. En ocho días volveré a ir a vagar de un lado a otro. Lo mejor que he hecho han sido mis dibujos. El príncipe es aficionado al arte y hasta llegaría a ser inteligente si no estuviera tan atado al principio pedantesco de las reglas y la terminología. Me molesta a veces y me impacienta cuando enardecido por la inspiración, le hago recorrer los campos de la naturaleza y del arte, y él cree actuar de maravilla intercalando una palabra teórica o un término de ciencia.

16 de julio

No soy más que un peregrino que vaga por el mundo. ¿Eres tú diferente?

18 de julio

¿Adónde deseo ir? Te lo diré con confianza. Estaré aquí unos 15 días y luego haré creer que deseo visitar las ruinas de ***, aunque en realidad no hay nada de ello; sólo quiero acercarme a Carlota, ésa es la verdad. Me río de mi propio corazón y al fin concluyo por hacer lo que él quiere.

29 de julio

No, ¡todo está en orden! ¡Todo está de maravilla! ¡Yo, su marido! ¡Oh, Dios mío, si me hubieras destinado tanta dicha, mi vida sólo habría sido una adoración continua! No quiero discutir. Perdóname las lágrimas; perdóname los deseos ilusorios. ¡Ella mi esposa! ¡Estrechar en mis brazos a la criatura más peregrina que vive bajo el Sol! Un temblor mortal se apodera de mí, Guillermo, cuando Alberto se permite ceñir con su brazo su cintura pequeña.

¿Y me atreveré a decirlo? ¿Por qué no? Sí, amigo mío, ella había sido más feliz conmigo de lo que es con él. ¡Oh! No es hombre propicio para satisfacer todos los anhelos de un corazón como el de ella. Carece de cierta sensibilidad, no tiene… ¡Tómalo como quieras! Su corazón no simpatiza con los nuestros al leer el pasaje de un libro querido, en que el mío y el de Carlota se unen y laten al mismo tiempo juntos, ni en otros 100 casos en que llegamos a decir nuestros sentimientos sobre la acción de un tercero. Pero, Guillermo, ¿es verdad que él la ama con toda el alma y que no merece semejante amor? Un hombre insoportable ha venido a interrumpir. Mi llanto se ha agotado. Estoy trastornado. Adiós, amigo.

4 de agosto

No es sólo a mí a quien sucede esto. Todos los hombres se ven frustrados en sus esperanzas, engañados en lo que esperan. Visité a la buena campesina bajo los tilos; el mayor de sus hijos corrió hacia mí; los alegres gritos que daba atrajeron a la madre, que pasaba triste, abatida.

—Mi buen señor! —fue su primera frase al verme. ¡El pobre Juanito se me murió!

Juan era el menor de sus hijos.

Yo guardé silencio.

—Mi marido —siguió—, ha vuelto a Suiza y no ha traído nada; sin las buenas almas, se habría visto reducido a mendigar para volver y en el camino ha tenido fiebres.

No atiné a decir nada. Le di alguna cosa al niño y ella me rogó que aceptara unas manzanas. Las tomé y me alejé de un lugar con tan tristes recuerdos.

21 de agosto

En un abrir y cerrar de ojos, todo cambia para mí. A veces, un agradable rayo de la vida arroja una vislumbre, una media claridad en la oscuridad de mi alma y desaparece al momento. Si me pierdo en mis sueños, no puedo sino detenerme en este pensamiento: "Si se muriera Alberto... tú serías... ella sería... Y yo..." Entonces me echo a correr, persigo a un fantasma, hasta que me conduce al borde del abismo cuya vista me estremece.

Si salgo de la ciudad y me encuentro en ese camino que seguí la primera vez para ir a buscar a Carlota y llevarla al baile, ¡cuán cambiado luce todo a la vista! ¡Todo se ha desvanecido! Ya no queda ni un rasgo de ese mundo que ha pasado, ni una emoción de los sentimientos que entonces me agitaron. Soy semejante a la sombra de un príncipe con poder, que al salir de la tumba para ver de nuevo el lujoso palacio que para su amado hijo construyó y alhajó con todo el esplendor y magnificencia, no encuentra más que escombros, tristes ruinas llenas de polvo y sepultadas bajo cenizas.

3 de septiembre

Muchas veces no alcanzo a comprender cómo puede amarla otro, cómo se atreve a hacerlo, ¡siendo mi amor por ella tan inmenso, profundo y único! ¡No conozco, no siento, no veo más que a ella!

4 de septiembre

Sí, así es. Al mismo tiempo que la naturaleza anuncia la cercanía del otoño, siento el otoño dentro de mí y a mi alrededor. Mi hojas amarillean y las de los árboles vecinos se han caído ya. ¿He vuelto a hablarte de aquel joven de la aldea que conocí cuando vine por primera vez a este lugar? He pedido en Wahlheim noticias tuyas y me han dicho que después de echarle de la casa donde servía, nadie ha vuelto a saber de él. Ayer le encontré casualmente, camino a otra aldea; le hablé y me contó su historia, que me ha causado gran impresión, como comprenderás fácilmente cuando te la transmita. ¿Pero a qué llevan estos detalles? ¿No debía yo guardar para mí lo que me aflige y angustia? ¿Por qué he de entristecerte también? ¿Por qué he de darte sin parar ocasión para que me compadezcas y regañes? ¡Bah! Acaso no es mía la culpa, sino de mi estrella.

Este hombre contestó a mis primeras preguntas con sombría tristeza, en la que me pareció ver alguna confusión; pero en breve, como si entendiera con quién hablaba y me reconociera, me confesó con franqueza sus errores y deploró su infelicidad. ¡Que no pueda yo, amigo, recordar una a una sus palabras! Confesaba (sintiendo al hacer memoria de ello un tipo de alegría y placer) que su amor hacia su ama fue aumentando cada vez más, al grado de no saber lo que hacía ni, hablándote en su lenguaje, dónde tenía la cabeza. No podía beber, comer ni dormir; esto lo martirizaba y hacía lo que no debía hacer, y olvidaba lo que le habían ordenado; parecía que tuviera un demonio en el cuerpo y, por último, un día que ella estaba en una habitación de un piso alto, la siguió o, más bien, se sintió arrastrado en su busca. Rogó sin resultado y pretendió usar la fuerza. Ignoraba cómo pudo llegar a tal extremo y ponía a Dios como testigo de que siempre había pensado en ella con total pureza y de que su más vehemente deseo había sido casarse para pasar la vida entera con ella. Después de platicar un rato, titubeó, como al que le falta algo que decir y no se atreve a seguir. Al final, me confesó tímido que ella le solía tolerar ciertas confianzas y le había concedido algunos favores ligeros. Interrumpió dos o tres veces el relato para repetirme que no decía esto "por ponerla en mal", que la quería tanto como antes; que jamás había hablado con nadie de estas cosas y que sólo me las decía para que me convenciera de que él no era un malvado ni un insensato.

Y ahora, amigo mío, vuelvo a mi eterna frase: ¡si pudiera pintarte a este muchacho tal como estaba, tal como lo veían mis ojos! ¡Si pudiera decirte todo a la perfección, para que comprendieras cómo me interesa, cómo debo interesarme por él! Basta; sabes lo que me pasa, sabes cómo soy y sabes demasiado bien cuánto me atraen los desdichados y, sobre todo, éste de quien te hablo.

Al releer lo escrito observo que se me olvidaba mencionar el fin de la historia, que se adivina con facilidad. La viuda se defendió; llegó su hermano, que hacía mucho odiaba al sirviente y deseaba sacarle de la casa por temor de que un nuevo matrimonio de la hermana dejara a sus hijos sin una herencia que esperaban con vehemencia, pues aquélla no tenía sucesión directa; este hermano puso al criado en la calle y armó tal escándalo sobre lo sucedido, que aunque la viuda hubiera deseado recibir de nuevo al joven, no se hubiera atrevido. Dicen que también ahora está que trina el hermano con otro criado que tiene la susodicha, respecto al cual aseguran que se casará con ella, cosa que el antiguo está decidido a no sufrir mientras viva.

No he exagerado ni retocado esta historia; hasta puedo decir que la he contado tenue, muy tenuemente, y que ha perdido mucho de su sencillez, porque la he encerrado en el modelo de nuestro lenguaje usual y muy circunspecto.

Esta pasión, que encarna tanto amor y fidelidad, no es una ficción de poeta; vive, centellea en toda su pureza en estos hombre que apellidamos incultos y groseros; nosotros, gente civilizada hasta el punto de no ser ya nada.

Lee esta historia con recogimiento; te lo ruego. Yo, escribiéndote hoy estas cosas, estoy calmado, ya lo ves; ni me precipito ni me confundo como suelo hacer. Lee, querido Guillermo, y piensa bien que ésta es además la historia de tu amigo. Sí, esto es lo que ha pasado; esto es lo que me ocurrirá a mí, que no tengo la mitad del valor y de la resolución de este pobre diablo, con el que apenas me atrevo a compararme.

5 de septiembre

Carlota escribió una carta a su marido, que estaba en el campo, donde lo detenían los negocios. La carta comenzaba así: "Querido, queridísimo: vuelve lo más pronto que puedas; te espero con impaciencia…" Uno que llegó trajo la noticia de que algunas ocupaciones impedirían a Alberto volver pronto. La carta quedó sin concluir sobre la mesa y por la noche vino a dar a mis manos. La leí y sonreí. Carlota me preguntó qué me causaba hilaridad. "La imaginación es una cosa divina", dije; "por un momento me he imaginado que este texto es para mí". No contestó; creo que le molestó mi ocurrencia. Yo permanecí callado.

6 de septiembre

Mucho trabajo me ha costado decidirme a dejar el frac azul que llevaba cuando bailé con Carlota por primera vez; pero ya estaba inservible.

Me he encargado otro idéntico, con cuello y vuelos iguales, y una chupa y unos calzones amarillos, como los que tenía. Bien sé que no es lo mismo llevar uno que otro; sin embargo... ¿quién sabe? Imagino que con el tiempo, le tocará al nuevo su turno y será el favorito.

12 de septiembre

Como Carlota fue a ver a Alberto, ha estado ausente algunos días. Hoy, al entrar en su habitación, salió a mi encuentro y le besé la mano con gran júbilo.

Sobre un espejo había un canario que voló a sus hombros. Tomándole entre los dedos, me dijo:

—Es un nuevo amigo que destino a mis niños. Es muy bonito, míralo. Cuando le doy pan, entretiene ver cómo agita la alas y picotea. También me besa; velo.

Acercó su boca al pajarito y éste se plegó con tanto amor contra sus dulces labios, como si entendiera la felicidad que gozaba.

—Quiero también que te dé un beso —dijo ella—, acercando el pájaro a mi boca.

Éste trasladó su piquito desde los labios de Carlota hasta los míos y sus picotazos eran como un soplo de felicidad inefable.

—Sus besos —dije—, no son del todo desinteresados; busca comida y cuando no la encuentra en las caricias que le hacen, se retira triste.

—También como en mi boca —exclamó Carlota—, dándole algunas migajas de pan en sus labios entreabiertos, sobre los que sonreía con voluptuosidad el placer de un inocente amor correspondido.

Volví la cabeza. Ella no debía hacer lo que hacía; ella no debía inflamar mi imaginación con estos transportes candorosos de alegría pura, ni despertar mi corazón del sueño en que lo arrulla a veces la indiferencia de la vida. ¿Y por qué no? Es que confía en mí, es que sabe de qué modo la amo.

15 de septiembre

En verdad, Guillermo, que hay para darse al diablo cuando se ven personas tan desprovistas de razón y de sentimiento que desconocen lo poco que de valioso tiene este mundo. Tú recordarás aquellos nogales del presbiterio a cuya sombra me sentaba con Carlota. ¡Cuánto me alegraba el corazón la vista de estos magníficos árboles y cuánto embellecían el patio! ¡Cuánta frescura había en su sombra y cuánta majestad en su follaje! Eran recuerdos vivos de los respetables párrocos que en un tiempo ya lejano, los habían plantado.

El maestro de escuela nos ha citado muchas veces el nombre de uno de ellos, nombre que había oído a su abuela, y parece que era una persona dignísima. Por eso, cuando me sentaba debajo de estos árboles, en este recuerdo había algo querido y sagrado para mí.

Ayer deplorábamos que los hayan cortado; el maestro de escuela lloraba. ¡Cortado! Tengo tal indignación, que sería capaz de matar al miserable que les dio el primer hachazo.

Si yo fuera dueño de dos árboles parecidos, sería suficiente ver a uno secarse de viejo para desesperarme. Juzga por esto lo que me afecta el sacrilegio cometido. ¿De qué sirve la conciencia a los hombres? Todo el pueblo murmura y la mujer del cura actual comprenderá la herida que ha abierto en los instintos de los buenos aldeanos, cuando recoja la manteca, los huevos y los demás tributos. Porque ella, esposa del nuevo párroco (el que conocí también falleció), es la autora; ella, criatura flacucha y enclenque, que hace muy bien en no interesarse por nadie en el mundo, porque nadie comete la sandez de preocuparse por ella; marisabidilla que se atreve a disertar sobre los cánones de la iglesia y a trabajar para la reforma crítico-moral del cristianismo, encogiéndose de hombros antes las ideas de Lavater; mujer, en fin, cuya salud débil no resiste la más inocente diversión. Sólo un bicho así hubiera podido cortar los nogales. ¿Entiendes?

Parece que las hojas que se caían, además de ensuciar el patio de esta señora, lo llenaban de humedad. Además, las ramas quitaban la luz y cuando maduraban las nueces, los niños se entretenían en tirarlas a pedradas, lo cual alborotaba los nervios de la pobre, robándole la tranquilidad en sus profundas meditaciones, cuando examinaba y comparaba las opiniones de Kennicot, Semler y Michaelis. Al avistar con la gente de la aldea, después de tan lindo descubrimiento, le pregunté, sobre todo a los ancianos, por qué lo habían permitido.

—¿Y qué quieres? —me respondieron—; cuando el alcalde manda una cosa, ¿quién puede oponerse?

Hay, sin embargo, en este negocio un lado cómico. El alcalde y el cura (porque éste pensaba sacar algún provecho del disparate cometido por su mujer, que a menudo le quema la sangre) pensaban repartirse el producto de los árboles cortados; pero el administrador de rentas lo supo y tiro el plan, haciendo valer antiguos derechos sobre el patio del presbiterio donde estaban los nogales, que fueron vendidos en subasta pública.

En resumen, ya no hay nogales… ¡Oh, si fuera príncipe! Diría a la mujer del cura, al alcalde y al administrador… ¡Príncipe! ¡Bah! Si yo fuera príncipe, ¿qué me importarían los árboles de mi país?

10 de octubre

Me es suficiente ver sus ojos negros para ser feliz. Lo que me apena es que Alberto no parece tan feliz como él esperaba y como él mismo creía. ¡Ah! Si yo... No me gusta emplear reticencias; pero aquí no puedo expresarme en otra forma... y creo que me hago entender con completa claridad.

12 de octubre

Ossian ha desbancado a Homero en mi espíritu. ¡A qué mundo nos transportan los sublimes cantos de aquel poeta! ¡Vagar por los matorrales, aspirar el viento de tormenta, que columpia en las nubes las sombras de los antepasados a los pálidos rayos de luna; oír quejarse en la montaña la voz del torrente de la selva y el gemido sordo de los espíritus en sus cavernas y los lamentos de la joven agonizante al pie de cuatro piedras cubiertas de musgo, bajos la cuales descansa el héroe glorioso que fue su amante! ¡Oh!, cuando en aquel desierto contemplo el bardo encanecido por los años, que busca las huellas de sus padres y sólo halla sus sepulcros y sollozante voltea hacia la estrella de la tarde, medio escondida entre el oleaje de una mar intranquila; cuando veo que renace el pasado en el alma del héroe, como en los tiempos en que la misma estrella brillaba sobre los bravos guerreros o la Luna contribuía con su propia luz al regreso de sus naves victoriosas; cuando leo en su frente su hondo pesar y le veo solo en el mundo andando trémulo hacia la tumba, saboreando una suprema y dolorosa alegría en la aparición de los fantasmas inmóviles de sus padres; cuando le oigo gritar, absorto en la tierra seca y la hierba doblada por el viento: "El viajero vendrá; vendrá quien me ha conocido en mi esplendor y preguntará por el hijo de Fingal. Y su pie

hundirá en mi tumba mientras su voz llamará en vano..."
Entonces, amigo mío, quisiera, como un leal escudero, sacar la espada y librar a mi príncipe de las penas de una vida que es una muerte lenta, hiriéndome después a mí mismo, para enviar mi ser en pos del alma del héroe liberado.

19 de octubre

¡Ay de mí! ¡Este vacío, horrible vacío que siente mi alma! Muchas veces me digo: "Si pudiera tan sólo un momento estrecharla contra mi pecho, todo este vacío quedaría cubierto".

26 de octubre

Sí, mi amigo; cada día estoy más convencido de que la vida de una criatura vale muy poco. Ayer fue Carlota a ver a una amiga suya. Entré a una pieza inmediata y tomé un libro para distraerme; pero no tenía la cabeza tan despejada como para atender la lectura. Tomé la pluma para escribir. Oí que hablaban en voz baja. Platicaron de cosas irrelevantes, de las novedades que se daban en el pueblo, de que tal persona se había casado y otra había caído muy enferma.

—Tiene una tos seca —dijo la amiga—; las mejillas hundidas, la cara más larga. A veces, pierde el conocimiento. No daría yo mucho por su vida.

—M. N. —dijo Carlota—, está también muy echado a perder.

—Es verdad —repuso la otra—, tiene el cuerpo hinchado de un modo que preocupa.

Así hablaban con tranquilidad, mientras yo me transportaba con la imaginación al lado de éstos y veía con qué ansiedad sentían que se les iba la vida y cómo se aferraban a la esperanza más tenue. Después de todo, estas jóvenes hablaban del asunto como habla todo el mundo cuando se trata de la muerte de una persona ajena. Yo, mirando alrededor de mí, viendo colocados acá y allá los vestidos de Carlota y los papeles de Alberto sobre los muebles, que han llegado a serme conocidos, hasta el punto de notar el menor cambio; me decía a mí mismo: "Puede asegurarse que en esta casa eres todo para todos; tus amigos te honran, tú ayudas a su alegría, y parece que no podrían vivir los unos sin los otros. Sin embargo, si tú te alejaras de ellos, sentirían... ¿cuánto tiempo sentirían el vacío que tu pérdida daría a sus vidas? ¡Ah!, el hombre es tan versátil por naturaleza, que aun donde tenga seguridad de ser querido, aun ahí donde pueda dejar un recuerdo hondo de su vida o de su paso en la memoria y en el espíritu de los que quiere, aun ahí debe apagarse y desaparecer; y esto, ¡ay!, demasiado rápido".

27 de octubre

Es cosas de rasgarse el pecho y romperse la cabeza el considerar lo poco que valemos unos para otros. ¡Ay de mí! Nadie me dará el amor, la alegría, el placer de las felicidades que no siento dentro de mí. Y aunque yo tuviera el alma llena de las más dulces sensaciones, no sabría hacer feliz a quien en la suya no tuviera nada.

27 de octubre, por la noche

¡Siento tantas cosas... y mi pasión por ella devora todo! ¡Tantas cosas! Y sin ella, todo se reduce a nada.

30 de octubre

Más de 100 veces he estado cerca de arrojarme a su cuello. Sólo Dios sabe lo que me cuesta mirar y remirar tantos

encantos, sin atreverme a extender mis brazos hacia ella.
Apoderarse de lo que se ofrece a nuestra mirada y nos impresiona, ¿no es un instinto natural del hombre? ¿No echa
mano el niño a todo cuanto le agrada? ¡Y yo!

3 de noviembre

Sólo Dios sabe cuántas veces he dormido con el deseo y
la esperanza de no despertar. Y al siguiente día, abro los
ojos, vuelvo a ver la luz solar y siento de nuevo el peso de la
miseria.

¡Ah! Si yo fuera un caprichoso, podría descargar en el
mal tiempo, en una tercera persona, en una empresa fraca-
sada, la culpa de mi disgusto y el insoportable fondo de mi
desolación sólo pasaría sobre mí a medias. Por desgracia,
comprendo que la culpa es sólo mía. ¡La culpa! No. Bastante es ya que lleve en mí la fuente de todos los dolores, como
hace poco llevaba el manantial de todos los goces. ¿No soy
siempre aquel que antes se deleitaba con los más puros
goces de una exquisita sensibilidad, que a cada paso creía
descubrir un paraíso, y cuyo corazón, abierto a un amor ili-
mitado, era capaz de abrazar al mundo entero? Este corazón
está muerto ahora, cerrado a todas las sensaciones; mis ojos
están secos y mis acerbos dolores, que no tienen salida, llenan de prematuras arrugas mi frente. ¡Cuánto sufro! He
perdido ese don del cielo que, por sí solo, embellecía mi
vida, esa fuerza vivificante que me hacía crear mundos alrededor de mí. Cuando desde mi ventana contemplo el
horizonte y tras la cumbre de las colinas el sol disipa las
brumas matinales y desliza sus primero rayos hasta el fondo de los valles, mientras el sosegado río corre mansamente
hacía mi, serpenteando entre los viejos troncos de los sau-
ces desnudos; este admirable cuadro, ahora inanimado y

frío como una estampa de color; este espléndido espectáculo, que otras veces ha hecho desbordarse a mi corazón, no
vierte ahora en él una sola gota de entusiasmo o conformi-
dad. Ahí esta el hombre inmóvil; árido, frente a su Dios,
siendo un pozo vacío, una cisterna, cuyas piedras se han
roto con la sequía. Muchas veces me he arrodillado para
pedir lágrimas al Señor, como el labrador implora la lluvia
cuando ve sobre su cabeza un cielo rojo y a sus pies, la tierra
que muere de sed. Pero, ¡ay!, Dios no concede la lluvia ni el
sol a nuestros ruegos importunos. ¿Por qué aquel tiempo,
cuyo recuerdo me mata, era para mí tan feliz? Porque entonces yo esperaba confiado que el cielo no me olvidaría y
recogería las delicias con que me embriagaba, en un corazón lleno de reconocimiento.

8 de noviembre

Carlota ha reprobado mis excesos... ¡Pero con qué tierno
interés! ¡Mis excesos! Porque después de tomar un vaso de vino,
sigo algunas veces bebiendo hasta terminar con una botella...

—No vuelvas a hacerlo —me dijo—; piensa en Carlota.

—¡Pensar! —exclamé—. ¿Qué necesidad tienes de recor-
dármelo, pues piense o no, siempre estás presente en mi
alma? Hoy me senté en el mismo lugar donde en otro momento bajaste del coche...

Cambió el tema para impedirme hablar del asunto.
Amigo mío, aquí me tienes en un estado en que esta mujer
hace de mí lo que quiere.

15 de noviembre

Te agradezco, Guillermo, por el interés que manifiestas
y por los buenos consejos que me das; pero te ruego que no

te alarmes, que me dejes encarar la crisis. A pesar de mi abatimiento, me siento aún con fuerza para llegar al final. Respeto la religión, lo sabes bien: para el que desmaya, es un apoyo; para quien se siente devorado por la sed, es un bálsamo de vida. ¿Pero puede serlo para nosotros? ¿Para cuántos no lo ha sido y para cuántos no lo será nunca, la conozcan o no? Y a mí, ¿me salvará? ¿No ha dicho el mismo hijo de Dios que sólo estarán con él los que su padre decida? ¿Y si su padre quiere reservarme para sí, como presiente mi corazón?

No malinterpretes mis palabras, ni veas en una idea sencilla la menor intención de burla; te lo suplico. Te hablo con el corazón en la mano. De no ser así, mejor callaría, porque no me gusta perder el tiempo diciendo palabras vanas sobre materias que los demás entienden tan poco como yo. ¿Qué otro destino le cabe al hombre sino el de llenar todo el camino con sus dolores y apurar su cáliz por completo? Y como éste fue amargo al mismo Dios del cielo, cuando lo acercó a sus labios de hombre, ¿por qué he de fingir yo una fuerza sobrehumana, haciendo creer que me parece dulce y grato?

¿Por qué no he de confesar mi angustia en este momento en que mi ser tiembla y fluctúa entre ser y no ser; en que el pasado se muestra como un relámpago en el sombrío abismo del futuro; en que todo cuanto me rodea se desploma y el mundo parece acabarse al mismo tiempo que yo? ¿No reconoces la voz de la criatura extenuada, desfallecida, que se hunde sin remedio, sin importar la inútil lucha, gritando amargamente: "¡Dios mío! ¡Dios mío! ¿Por qué me has abandonado?" ¿Y debe avergonzarme esta exclamación y debo temer que llegue el momento en que se escape de mi boca, como se escapó de la de aquel que, hijo de los cielos, se envolvió en ellos como en un sudario?

21 de noviembre

Carlota no ve ni sabe que prepara ella misma un vene-
no mortal para los dos y yo apuro con fuerza la copa fatal
que me ofrece. ¿Qué significa el aire de bondad con que a
menudo me mira? A menudo, ¡no!; algunas veces. ¿Por qué
se muestra complacida al notar el efecto que su vista me
provoca a pesar mío? ¿Qué causa reconoce la compasión
que revela con los ojos?

Ayer, cuando me iba, me alargó la mano y dijo:

—Buenas noches, querido Werther.

¡Querido Werther! Es la primera vez que me llama así
y hasta en lo más profundo de mi ser he sentido una dicha
indecible. Más de cien veces he repetido estas palabras y
por la noche, al ir a la cama, hablando a mí mismo, exclamé
sin percatarme de ello: "¡Buenas noches, querido Werther!"
No he podido sino reírme de mí.

22 de noviembre

Al dirigir mis ruegos a Dios, no puedo decir: "¡Consér-
vamela!" Y, sin embargo, hay momentos en que creo que es
de mi posesión. Tampoco puedo decir: "¡Dámela!", porque
es de otro. Así es como me agito sin cesar sobre mi lecho de
dolor. Si me dejara llevar por el impulso, ensartaría una serie infinita de antítesis.

24 de noviembre

No desconoce Carlota cuánto sufro. Su mirada ha llegado hoy hasta lo más hondo de mi corazón. La encontré sola;
yo no despegaba mis labios y ella me miraba fijamente.
Absorto ante aquella mirada sublime, llena de afectuoso

interés y dulce piedad, no veía su seductora hermosura ni la aureola de inteligencia que ilumina su frente. ¿Por qué no me tiré a sus pies o la tomé entre mis brazos, cubriéndola de besos? Se sentó en el piano; a sus armoniosos acordes unió su dulce y cantarina voz. No he encontrado nunca más adorables sus labios; parecía que se entreabrían lánguidos para aspirar los dulces sonidos del instrumento y exhalarlos de nuevo, con la suavidad de su hálito. ¡ah! ¡Si yo pudiera hacer que compartieras conmigo lo que sentí en ese momento! Incliné la cabeza desfallecido y me juré no atreverme nunca a imprimir un beso en su boca, en aquella boca donde revoloteaban los serafines del cielo. Y, sin embargo, yo quiero… No. Hay una barrera imposible de cruzar que la separa de mi alma. ¡Destruir esta pureza! Y después el castigo que sigue al pecado. ¿Pecado?

26 de noviembre

Suelo decirme a mí mismo: "Tu destino es único; comparados contigo, los demás hombres son felices; porque jamás un mortal se vio atormentado como tú". Entonces, leo cualquier poeta antiguo y me parece que es el libro mismo de mi alma. ¿Qué? ¿Aún me falta tanto por sufrir? ¿Y antes que yo ha habido ya hombres tan desdichados?

30 de noviembre

Nunca podrá tranquilizarse mi espíritu. En todas partes encuentro algo que me pone fuera de mí. Hoy mismo, ¡oh, destino! ¡Oh, pobre humanidad! Me había ido a pasear a la orilla del río, a la hora de comer, porque no tenía nada de hambre. No había nadie. Un viento frío y húmedo soplaba de la montaña; algunas nubes grises rodeaban el valle. A lo lejos distinguí a un hombre mal vestido, que andaba agachado entre las rocas, como buscando algo. Me acerqué y volteó por el ruido de mis pasos. Tenía una interesante fisonomía, con cierta expresión de tristeza, que mostraba un corazón honrado. Sus negros cabellos estaban sujetos en dos rodetes por horquillas y los de atrás bajaban por la espalda, con lo que formaban una trenza ajustada. Ya que su traje mostraba que era un hombre del pueblo, creí que no se molestaría porque me interesara en él y le pregunté qué hacía.

—Busco flores y las hallo —contestó—, después de suspirar profundamente.

—Ya lo creo —repliqué con una sonrisa—; ahora no es época de flores.

—Hay muchas —agregó—, mientras se acercaba a mí. En mi jardín tengo rosas y dos tipos de madreselvas. Una me la regaló mi padre; ésta crece con la misma rapidez que los hierbajos y, no obstante, hace dos días que busco una y no doy con ella. También aquí hay flores durante todo el año; las hay amarillas, azules, rojas… y hay centauras, que son unas flores pequeñas muy lindas. Pues en vano las busco; una sola no encuentro.

Yo notaba en sus palabras y en su tono un no se qué feroz y con calma le pregunté para qué buscaba las flores. Una sonrisa extraña y compulsiva contrajo su aspecto.

—Si me prometes no traicionarme —dijo mientras se ponía un dedo en la boca—, te diré que he ofrecido un ramo a mi novia.

—¡Bien, muy bien! —le dije

—¡Oh! Ella tiene muchas cosas buenas… es rica.

—Y, sin embargo, pone atención a tu ramo.

—Tiene diamantes… y una corona.

— ¿Pues quién es? ¿Cuál es su nombre?

Sin responder, añadió:

— Si el gobierno quisiera pagarme, sería otro hombre. Sí, hubo un tiempo en que estaba bien yo, pero hoy, hoy todo ha terminado. No soy ya sino...

Sus ojos, llenos de lágrimas, se fijaron en el cielo con viveza.

— ¿Estás feliz entonces? — pregunté.

— ¡Ah! Ojalá lo fuera ahora igual. Sí, vivía contento, feliz, ligero como pez en el agua.

— ¡Enrique! — exclamó en aquel instante una anciana que se acercaba—, ¿Dónde te metes? Te ando buscando por todas partes. Vamos, ven a comer.

— ¿Es su hijo? — pregunté mientras avancé hacia ella.

— Sí, señor, es mi pobre hijo. Dios me ha dado una cruz muy pesada.

— ¿Hace mucho tiempo que está así?

— A Dios gracias, hace ya seis meses que recobró la tranquilidad. Pero antes, todo un año, estuvo furioso y hubo que encerrarlo en una casa de locos. Ahora no hace mal a nadie; pero siempre sueña con reyes y emperadores. ¡Era tan bueno y cariñoso! Me ayudaba a vivir con el fruto de su trabajo, porque tenía una letra preciosa... De repente perdió la cordura; cayó enfermo de una fiebre tremenda y ahora... ya ve el estado en que está. Si el señor quiere que le cuente...

Interrumpí su comunicación para preguntarle a qué época se refería su hijo, cuando decía que había sido muy feliz.

—¡Ah, señor! El pobre alude al tiempo en que estaba completamente loco; al que paso en el hospital, cuando no tenía conciencia de sí. No deja de recordar esos días...

Estas palabras me hirieron como un rayo. Puse una moneda de plata en la mano de la anciana y me alejé a pasos apresurados.

¡Entonces eras feliz!, pensaba mientras caminaba rápido hacia el pueblo. ¡Entonces vivías ligero como el pez en el agua! Pero, Señor, ¿estará escrito en el destino del hombre que sólo pueda ser feliz antes de tener razón o después de perderla? ¡Pobre insensato! Envidio tu locura; envidio el laberinto mental en que te extravías. Sales lleno de esperanza a recolectar flores para tu amada, en medio del invierno y desesperas porque no las encuentras, sin comprender la causa de que no se hallen a tu paso... Pero yo... salgo sin esperanza, sin propósito, y vuelvo a entrar a casa igual. Tú sueñas con lo que serías si el gobierno te pagara; ¡feliz criatura que sólo en un obstáculo material hallas tu desgracia, que no sabes que en el extravío de tu mente, en el desorden de tu alma estriba tu daño, del que todos los reyes de la Tierra no podrían liberarte! ¡Muera sin sosiego el que ríe de los enfermos, que en su opinión agravan sus enfermedades y aceleran su final al ir lejos en busca de la salud en aguas maravillosas! ¡Muera sin sosiego el que insulta a la pobre criatura, cuya alma oprimida hace voto de visitar el santo sepulcro para librarse de sus remordimientos y calmar sus escrúpulos y desventuras! Cada paso que el peregrino da sobre la tierra, dura e inculta, por ásperos senderos que desgarran sus pies, es una gota de bálsamo echado sobre la herida de su alma y, después de la jornada diaria, se acuesta con el corazón aliviado de una parte del peso que le embarga. ¿Y se atreven a llamar a esto necia preocupación, ustedes, charlatanes infelices? ¡Preocupación! Dios mío, ni ves mis lágrimas. ¿Cómo, al crear al hombre tan pequeño, le das hermanos que hasta lo privan en sus amarguras, robándole la confianza que ha puesto en ti, en ti que nos profesas amor sin fronteras? Porque la fe en la virtud de una planta medicinal o en el agua que destila la vida después de cortada, ¿qué es sino fe en ti, que al lado del mal has puesto el remedio y el consuelo que tanto necesitamos?

¡Oh, padre, que desconozco! Padre, que otras veces has llenado todo mi corazón y que ahora te apartas de mí; llámame pronto a tu compañía. No guardes silencio más tiempo, porque éste no detendrá la impaciencia de mi alma. Y si entre los hombres no podría enojarse un padre porque su hijo volviera a su lado antes de la hora marcada y se arrojara a sus brazos diciendo: "Aquí estoy de regreso, padre mío; no te incomodes porque haya interrumpido el viaje que me has encomendado terminar; el mundo es igual por todas partes; tras el dolor y el trabajo, la recompensa y el placer...

Pero a mí, ¿qué me importa? Yo no estaré bien más que en tu presencia; en dónde tú estés quiero gozar y padecer..." Tú, padre celestial y piadoso, ¿podrás rechazarme?

1 de diciembre

¡Oh, Guillermo! Ese hombre de que te he hablado, ese desdichado feliz, tenía un empleo en casa del padre de Carlota y una desgraciada pasión que concibió por ella, ¡por ella!, pasión que ocultó mucho tiempo y que al fin descubrió, lo hizo perder el juicio. Éste ha sido el origen de su locura. Estas pocas palabras, llenas de sequedad, pueden hacer que entiendas lo que esta historia me habrá trastornado, cuando Alberto me la contó con la frialdad con que quizá tú la leerás.

4 de diciembre

Te imploro piedad de mí, porque esto es hecho; ya no podré soportar más tiempo la situación. Hoy estaba sentado cerca de ella, que tocaba diferentes melodías en su clave, con un semblante... ¡Con un semblante! ¿Cómo podría describirla para ti? La más pequeña de sus hermanas jugaba con sus muñecas sobre mis rodillas. De pronto, se me salieron las lágrimas y bajé la cabeza; vi entonces en su dedo el anillo de boda y mi llanto fue más abundante. En aquel mismo instante comenzó a tocar la antigua melodía que tanta impresión me provocaba y mi corazón sintió una especie de consuelo, recordando el tiempo en que aquella música había herido mis oídos con placer; tiempo de felicidad en que las penas no abundaban; horas de esperanza que pronto huyeron. Me levanté y comencé a pasearme por la habitación sin orden. Me ahogaba.

—¡Basta —dije—; basta por Dios!

Carlota se detuvo y me miró interrogante.

—Werther —dijo con una sonrisa que me traspasó el corazón—, muy malo debes estar cuando tu música predilecta te desgarra así. Retírate, te lo suplico, y trata de recuperar la calma.

Me separé de ella y... ¡Dios mío! Tú que ves mi sufrimiento, tú debes terminarlo.

6 de diciembre

Su imagen me persigue: que duerma o que vele, ella sola llena toda mi alma. Cuando cierro los ojos, en el cerebro, donde se halla la potencia de la vista, distingo con claridad sus ojos negros. No puedo explicarme esto. Me duermo y los veo también: siempre están ahí, fascinantes

como el abismo. Todo mi ser, todo, no puede separarse de
ellos.

¿Qué es el hombre, ese semidiós ensalzado? ¿No le falta
la fuerza cuando más la necesita? Y cuando abre las alas en
el cielo de los placeres, lo mismo que cuando se sumerge en
la desesperación, ¿no se ve siempre detenido y condenado
a convencerse de que es débil y pequeño, él, que esperaba
perderse en el infinito?

Del Editor al Lector

¡Cuánto hubiera deseado tener, respecto a los últimos días de nuestro desdichado amigo, bastantes detalles escritos por su propia mano, para no tener la necesidad de intercalar relaciones en la continuación de las cartas que él nos dejó!

Me he esmerado en recopilar los más exactos pormenores con las personas que debían estar mejor informadas, los cuales todos resultan uniformes. Las narraciones coinciden hasta en las menores situaciones. Sólo en la manera de juzgar los sentimientos de los personajes difieren un poco los puntos de vista.

Sólo nos resta entonces hablar con fidelidad de lo que nuestras investigaciones nos han hecho conocer, sin omitir en ello las cartas o fragmentos de carta que dejó aquel que ya no está más con nosotros.

No se debe despreciar al menor documento auténtico, en consideración de lo difícil que resulta profundizar y conocer los verdaderos motivos, los móviles ocultos de una acción, por intrascendente que ésta sea, cuando proviene de un individuo que sale de la esfera común.

El desaliento y pesar habían echado raíces sólidas en Werther y poco a poco se habían apoderado de todo su ser. La armonía de sus facultades se había destruido en su totalidad. El ciego y febril arrebato que las trastornaba tuvo en él los más fuertes estragos y acabó por sumirle en un triste abatimiento, más difícil de tolerar que los males con que se había enfrentado hasta entonces.

Las angustias de su corazón agotaron las pocas fuerzas que le quedaban. Su viveza y sagacidad se apagaron. Cada vez se mostraba más sombrío e insociable, y conforme iba siendo más desgraciado se volvía más injusto. Así, al menos, lo constatan los amigos de Alberto, quienes dicen que Werther no había valorado a aquel hombre de corazón recto que, gozando de una dicha deseada por mucho tiempo, sólo pensaba en afianzar su felicidad futura. ¿Cómo había de comprender semejante anhelo quien disipaba y entregaba al azar los tesoros de su alma, sin reservarse para lo sucesivo más que privación y sufrimiento?

Afirman también que Alberto no había podido cambiar en tan poco tiempo y que era siempre el mismo hombre, tan ponderado y apreciado por Werther cuando se conocieron. Amaba a Carlota sobre todas las cosas; estaba orgulloso de ella y deseaba verla admirada por cuantos se le acercaban como la más perfecta criatura. ¿Podía reprobársele por tratar de alejar de ella la sombra de una sospecha o porque rehusara ceder, ni aun en el más inocente trato, la posesión de tan preciado objeto? Confiesan, es cierto, que Alberto abandonaba a menudo la habitación de su mujer cuando Werther se presentaba ahí; pero no era, según su dicho, ni por odio ni por indiferencia hacia su amigo, sino tan sólo porque había observado el pesar secreto que su presencia creaba en Werther.

Un día, en que estaba enfermo el padre de Carlota y por su necesidad de guardar cama, mandó el coche en busca de su hija. Era una hermosa mañana de invierno. Las primeras nieves habían caído abundantes y el campo estaba cubierto de una alfombra blanca.

Werther emprendió el camino al día siguiente, para ir a reunirse con Carlota y acompañarla a su casa, si Alberto no iba por ella.

El aire fresco y puro de la mañana no cambió su ánimo. Un peso enorme oprimía su pecho; su espíritu estaba atormentado por

*las más tristes imágenes y el movimiento de sus ideas le hacía
vagar por crueles reflexiones. Como vivía en un eterno hartazgo
de sí mismo, la situación de los demás la creía tan violenta y agitada como la suya. Imaginaba haber dañado la armonía de Alberto
y Carlota, y se dirigía con este motivo los más ocultos reproches,
mezclados de sorda indignación contra el marido. Durante el camino sus pensamientos tomaron este sentido: "¡Ah!", se decía,
apretando los dientes; "he ahí rota esa unión, tan íntima, tan cordial, tan auténtica. ¿Qué ha pasado con aquel tierno interés, con
aquella confianza tranquila que se antojaba inalterable? Hoy es
sólo hastío e indiferencia. El más pequeño asunto interesa a ese
hombre más que su mujer. ¡Una mujer tan adorable! ¿Pero sabe él
apreciarla? ¿Sospecha remotamente lo que vale? ¡Y ella le perte-
nece, es de su propiedad! ¡Oh!, lo sé de sobra. Debía haberme
acostumbrado ya a esta idea y, no obstante, me desespera y acaba-
rá por darme muerte. Y la amistad que Alberto me había prometido,
¿qué ha sido de ella? ¿No ve en mi apego a Carlota un ataque a
sus derechos, y en mis atenciones y cuidados, una censura de su
falta de cuidado? Lo sé y lo siento: me ve con disgusto; quisiera me
fuera muy lejos de aquí. Mi presencia es un peso para él".*

*Hablando así, tan pronto aceleraba su paso como lo detenía.
Algunas veces parecía querer volverse atrás, pero continuaba,
sumido siempre en sombrías reflexiones que sólo se adivinaban
por algunas palabras entrecortadas que salían de su boca. Así llegó a la casa sin notarlo. Entró preguntando por el anciano y por
Carlota y encontró a toda la gente en conmoción. El mayor de los
hermanos de Carlota le informó que había sido una desgracia en
Wahlheim: que un aldeano había sido asesinado. Esta noticia no
hizo mella en él y se dirigió a la sala contigua, donde encontró a
Carlota esforzándose por retener a su padre que, enfermo y todo,
quería marchar de inmediato al lugar del crimen, para instruir las
primeras diligencias sobre aquel suceso, cuyo autor era una interrogante. Se había encontrado el cadáver muy temprano por la*

mañana, frente a la puerta de un cortijo y ya se sospechaba de alguien. La víctima había estado al servicio de una viuda, que poco antes había despedido a otro criado por un fuerte disgusto.

Cuando Werther supo esta información, se levantó de repente y exclamó:

— ¿Es posible? Debo ir sin perder un instante.

Se dirigió a Wahlheim, convencido, luego que reunió todos sus recuerdos, de que el autor del asesinato era aquel joven a quien había hablado tantas veces y que le había producido gran simpatía. Como era indispensable pasar por los tilos para llegar al figón donde habían depositado el cadáver, no pudo menos que experimentar cierta turbación al ver aquellos lugares que en otra época había querido tanto. El umbral de la puerta donde los chicos iban con frecuencia estaba ensangrentado. Así el amor y la fidelidad, los más hermosos sentimientos humanos, habían degenerado en violencia y crimen. Los corpulentos árboles, sin follaje, se habían cubierto de escarcha; el seto vivo que rodeaba las tapias del cementerio había perdido su hermoso verde y dejaba ver, por los anchos agujeros, las piedras de los sepulcros llenas de nieve.

Al aparecer Werther en el lugar al que había acudido todo el pueblo, se dejó oír un grave murmullo.

A lo lejos se divisaba un pelotón de hombres armados y todos comprendieron que traían al asesino.

No bien dirigió Werther una mirada sobre el preso, se disiparon las dudas.

Sí, era él; aquel criado tan enamorado de su ama, a quien pocos días antes había visto víctima de una melancolía y luchando contra una secreta desesperación.

— ¿Qué has hecho, desdichado? — le preguntó al acercarse.

El preso lo miró sin abrir la boca; luego dijo con frialdad.

— Ella no será de nadie, ni nadie será de ella.

Llevaron al asesino ante la presencia de su víctima y Werther se alejó precipitado. La extraña y violenta emoción que acababa de experimentar había confundido su mente: se sintió arrancado de su melancólica apatía por el irresistible interés que le despertaba aquel joven y por un deseo de salvarlo. Comprendía tan bien la desesperación que le había orillado al crimen; le encontraba tantas excusas y comprendía con tal profundidad la situación de aquel desafortunado, que se creía capaz de participar sus sentimientos a todo el mundo.

Ardía ya en deseos de defender a gritos al acusado; el discurso más elocuente pugnaba ya por brotar de sus labios. Corrió a casa del padre de Carlota, ordenando mentalmente los apasionados argumentos con que había de inclinar su ánimo a favor del prisionero.

Al entrar en el salón halló a Alberto, cuya presencia lo desconcertó por un momento, pero pronto se recuperó y manifestó al anciano su opinión sobre el trágico evento, con la convicción y calor que lo animaban.

El administrador movió varias veces la cabeza mientras hablaba; y aunque Werther empleó toda la energía, todo el arte de persuasión que se puede usar en defensa de un semejante, el magistrado, como era de esperarse, no dio signos de sensibilidad ni vacilación. Sin dejar terminar a nuestro amigo, rechazó brioso sus argumentos y le censuró por defender a un criminal con tanta decisión. Le demostró que con tal sistema, todas las leyes quedaban anuladas y la seguridad pública se vería comprometida en forma consistente. Añadió que en un asunto tan grave, no podía interceder sin incurrir en una responsabilidad enorme, y que era necesario que el proceso siguiera conforme a lo habitual.

Werther, sin embargo, no perdió el ánimo y suplicó al administrador que aceptara no poner atención a la evasión del prisionero; pero también en esto el magistrado no mostró flexibilidad alguna.

Alberto, que hasta entonces no había emitido juicio alguno, se incorporó a la discusión para apoyar al anciano. Werther, en vista de ellos, guardó silencio y se alejó con el corazón traspasado de amargura, mientras el administrador repetía:

— No, no; nada puede salvarlo.

No es difícil calcular la impresión que estas palabras tuvieron en el ánimo de Werther, conociendo alguna frases que escritas sin duda ese mismo día, hemos encontrado entre sus pertenencias.

— ¡No es posible salvarte, desgraciado! Yo bien veo que nada puede salvarnos.

Lo que Alberto había dicho sobre el criminal ante el administrador causó a Werther una extrañeza mayor. Creyó descubrir en sus palabras una alusión a él y a sus sentimientos, y por más que algunas serias reflexiones le hicieron entender que aquellos tres hombres podían estar en lo correcto, se resistía a abandonar su intención y sus ideas, como si abandonarlas fuera renunciar a su propia y más íntima vida.

Entre sus papeles hemos hallado otra nota que habla de esta situación y que expresa quizá sus verdaderos sentimientos hacia Alberto.

— ¿De qué sirve decirme y repetirme: es bueno y honrado? ¡Ah! Cuando así me desgarra el corazón, ¿puedo ser justo?

La tarde era apacible y el tiempo ayudaba al deshielo. Carlota y Alberto regresaron a pie. De vez en cuando volteaba ella la cabeza, como extrañando la compañía de Werther. Alberto dirigió la conversación a su amigo y le reprobó, haciéndole justicia. Habló de su desgraciada pasión y dijo que deseaba, si se pudiera, alejarlo por su propio bien.

— Lo deseo también por nosotros — agregó — ; y te ruego, Carlota, que procures dar otra dirección a sus ideas y a sus relaciones contigo, decidiéndole a que limite sus visitas. La gente empieza ya a ocuparse de esto y yo sé que se ha hablado del tema varias veces.

Carlota guardó silencio y Alberto creyó entender el motivo de esta reserva. Desde ese momento no habló más de Werther: si ella, por casualidad o con intención, pronunciaba su nombre, él cambiaba o interrumpía la conversación. La vana tentativa de Werther para salvar al infeliz aldeano, fue como el último resplandor de una flama agonizante.

Cayó en un abatimiento más y más profundo y una desesperación mansa se apoderó de él cuando supo que tal vez lo llamarían para testificar en contra del asesino, que intentaba defenderse al negar su participación en el asesinato. Todo lo que había sufrido hasta entonces durante su vida activa, sus disgustos en la embajada, sus proyectos fallidos, todo lo que le había herido o contrariado, acudía a su memoria y le agitaba en forma terrible.

Creyéndose condenado a la inacción por tan consistentes contrariedades, todo lo veía cerrado a su paso y sentía incapacidad de soportar la vida. Así es que, encerrado para siempre en sí mismo, consagrado a la idea fija de una sola pasión, perdido en un laberinto sin salida por sus relaciones diarias con la mujer adorada cuyo descanso trastornaba, agotando inútilmente sus fuerzas y debilitándose sin esperanza, se iba acercando cada vez a su triste final.

Colocaremos aquí algunas cartas que dejó y que dan una idea precisa de su confusión, de su delirio, de sus crueles angustias, de sus luchas supremas y del desprecio que sentía por la vida.

12 de diciembre

Querido Guillermo: me encuentro en un estado que debe asemejarse al de los desgraciados que en la antigüedad se creían poseídos del espíritu maligno. No es el pesar; no es tampoco un deseo vehemente, sino una rabia sorda y sin nombre que me desgarra el pecho, me hace un nudo en la garganta y me sofoca. Sufro, me gustaría escapar de mí y paso las noches vagando por los parajes desiertos y sombríos en que abunda esta estación enemiga.

Anoche salí. Sobrevino de repente el deshielo y supe que el río había salido de madre, que todos los arroyos de Wahlheim corrían desbordados y que la inundación era completa en mi valle. Me dirigí a él cuando llegaba la medianoche y presencié un espectáculo aterrador. Desde la cima de una roca, con la claridad de la Luna, vi revolverse los torrentes por los campos, por las praderas y entre los vallados, devorando y sumergiendo todo; vi desvanecerse el valle; vi en su lugar un mar rugiente y espumoso, azotado por el soplo de los huracanes. Después, profundas tinieblas; más tarde, la Luna, que aparecía de nuevo para arrojar una siniestra claridad sobre aquel imponente cuadro. Las olas rodaban estrepitosas... se estrellaban a mis pies con gran fuerza. Un extraño temblor y una tentación inexplicable se apoderaron de mí. Me hallaba con los brazos estirados hacia el abismo, acariciando la idea de lanzarme a él. Sí, lanzarme y sepultar conmigo los dolores y sufrimientos. ¡Pero ay!, ¡qué desgraciado! No tuve fuerza para terminar de una vez por todas con mi pesar; mi hora no ha llegado aún, lo sé. ¡Ah, Guillermo! ¡Con qué gozo hubiera dado esta pobre vida para confundirme con el huracán, rasgar con él los mares y agitar sus olas! ¡Ah!, ¿no alcanzaremos nunca esta dicha los que nos consumimos en nuestra prisión? ¡Qué tristeza se apoderó de mí cuando mis ojos pasaron por el sitio donde había descansado con Carlota, bajo un sauce, después de un largo paseo! También había llegado ahí la inundación y a duras penas pude distinguir la copa del sauce. Pensé entonces en la casa de Carlota, en sus jardines... El torrente debía haber arrancado también nuestros pabellones y destruido todos nuestros lechos de pasto. Un luminoso rayo del pasado brilló frente a mi alma, como brilla en los sueños de un cautivo una ola de luz que le crea praderas, ganados o grandezas de la vida. Yo estaba ahí, parado... ¡ah!, ¿es que no tengo valor para morir? Yo debía... Y sin embargo, aquí estoy como una pobre vieja que recoge del suelo sus andrajos y va, de puerta en puerta, pidiendo pan para sostener y prolongar un instante más su vida de miseria.

14 de diciembre

¿Qué es esto, mi amigo? Estoy asustado de mí. El amor que ella me inspira, ¿no es el más puro, el más santo y el más fraternal de los amores? ¿He cobijado en lo más hondo de mi alma un deseo culpable? ¡Ah! No me atrevería a asegurarlo. ¡Cuánta razón tienen quienes dicen que somos juguetes de fuerzas misteriosas y contrarias!

Anoche, temo decirlo, la tenía entre mis brazos, fuertemente estrechada contra mi corazón; sus labios expresaban palabras de cariño, interrumpidas por un millón de besos, y mis ojos se embriagaban con la dicha que brotaba de los suyos. ¿Soy culpable, Dios mío, por recordar tan dichoso y por desear soñar lo mismo? ¡Carlota! ¡Carlota! Hace una semana que mis sentidos se han trastornado; ya no tengo fuerzas ni para pensar; mis ojos se llenan de lágrimas. No estoy bien en ningún lugar y, no obstante, estoy en todas partes. No espero nada, nada deseo. ¿No sería mejor que partiera?

La decisión de abandonar este mundo había ido tomando fuerza en la mente de Werther. Desde su regreso al lado de Carlota, había contemplado la muerte como el fin de sus males y como una opción extrema a la cual recurrir. Se había propuesto, sin embargo, no acudir a ella con brusquedad y violencia. No quería dar este último paso más que con toda calma y animado por un total convencimiento. Sus incertidumbres, sus luchas se reflejan en algunas líneas que aparentan ser el principio de una carta a su amigo. El papel no está fechado.

"Su presencia..., su situación..., el interés que mi suerte le despierta, arrancan las últimas lágrimas de mi cerebro petrificado.

"Levantar el velo y seguir adelante; es todo... ¿Por qué tener miedo?, ¿por qué dudar? ¿Tal vez porque no se conozca lo que hay más allá, porque no se regresa o más bien porque es propio de nuestra naturaleza suponer que todo es confusión y oscuridad en lo desconocido?"

Cada vez se habituaba más a estos funestos pensamientos, que llegaron a ser familiares al extremo. Su proyecto fue al fin determinado de forma irrevocable. La prueba se halla en la siguiente carta, de doble sentido, que dirigió a su amigo.

20 de diciembre

Agradezco, querido Guillermo, que tu amistad haya entendido tan bien lo que yo quería decir. Tienes razón; lo mejor que puedo hacer es irme. Pero la invitación que me haces para que regrese a tu lado no corresponde mucho a mi pensamiento. Antes haré una breve excursión a la que convidan el frío continuado que es de esperar y los caminos que estarán en buen estado. Tu deseo de venir a verme me agrada mucho; pero te ruego que me concedas un plazo de 15 días y que esperes a recibir otra carta en la que te participe mis últimas noticias. Di a mi madre que pida a Dios por su hijo; dile también que le ofrezco disculpas por todos las angustias a las que la he sometido. Sin duda era mi destino apesadumbrar a las personas a quienes hubiera querido hacer felices. Adiós, mi queridísimo amigo; el cielo ponga en ti sus bendiciones. Adiós.

No intentamos revelar ahora lo que pasaba en el corazón de Carlota y los sentimientos que en él producían su esposo y su desdichado amigo, por más que el conocimiento que tenemos de su carácter nos permita formar una idea cercana.

Es seguro por lo menos que estaba decidida a hacer todo lo posible por alejar a Werther y si algo la hacía dudar, era sólo cierta consideración compasiva dictada por la amistad, sabiendo lo caro que le sería al desgraciado joven esta separación, pues un esfuerzo semejante era superior a su fuerza. No obstante, las circunstancias se hacían cada vez más críticas y aquella necesidad, más urgente. Su marido guardaba el más hondo silencio sobre el asunto, así como lo había guardado siempre ella misma, que sólo deseaba probar sinceramente con sus actos cuán dignos de los suyos eran sus sentimientos.

. El mismo día que Werther escribió a su amigo la carta que recién copiamos, el domingo antes de Navidad, fue por la tarde a casa de Carlota y la encontró sola, arreglando los juguetes para sus hermanos y hermanas. Habló de la alegría que tendrían los niños y de los tiempos en que la aparición de una mesa cargada de manzanas y turrones eran también para ella las delicias del paraíso.

— Pues bien — le dijo Carlota — , ocultando su ofuscación con una cordial sonrisa, también tendrías regalos de Navidad si tuvieras juicio: una barra de turrón y algún otro detalle.

— ¿Y qué entiende por tener juicio? — exclamó Werther — . ¿Cómo debo ser juicioso? ¿Cómo puedo serlo, querida Carlota?

— El jueves por la noche — repuso ella — , es Nochebuena; vendrán los niños, mi padre los acompañará y todos recibirán su regalito. Ven tú también, pero no antes.

Werther se sentía cohibido.

— Te lo ruego — agregó — ; es necesario… porque esto no puede continuar así.

Al oír estas palabras, Werther apartó su vista de Carlota, se puso a caminar a grandes pasos por el cuarto, repitiendo entre dientes: "Esto no puede seguir".

Percibiendo Carlota el estado de agitación que le habían causado sus palabras, trató de calmarlo y distraerle con algunas preguntas y diferentes temas de charla; nada dio resultado.

— No, Carlota; ya no volveré a verte.

— ¿Y por qué no, Werther? Puedes y debes visitarnos si te moderas. ¿Por qué tienes ese carácter tan ardiente, esa pasión indomable que fuego devorador abrasa todo a su paso? Por Dios te suplico que te controles. ¡Qué de distracciones y de goces ofrecen tu talento, conocimientos e imaginación! ¡Sé un hombre! Aléjate de ese cariño fatal, de esa pasión por una criatura que no puede más que compadecerte.

Werther rechinó los dientes y la miró con un aire sombrío. Carlota sostenía en las manos la de su amigo.

— Ten calma — le dijo — . ¿No ves que corres por voluntad a tu perdición? ¿Por qué he de ser yo, justo yo, que soy de otro? ¡Ah! Temo que la imposibilidad de obtener mi amor sea lo que exalte tu pasión.

Werther quitó la mano y miró a Carlota disgustado.

— Está bien — dijo — ; esa sabia observación la ha originado Alberto, sin duda. Es política, ¡muy política!

— Cualquiera puede hacerla — dijo ella — . ¿No habrá en todo el mundo una joven capaz de llenar los deseos de tu corazón? Búscala; te garantizo que la encontrarás. Hace mucho tiempo que deploro, por ti y por nosotros, el aislamiento al que te has condenado. Vamos, haz un esfuerzo; un viaje puede distraerte; si buscas bien, encontrarás una mujer digno de tu cariño y entonces podrás regresar para que disfrutemos todos esa tranquila felicidad que da la amistad sincera.

— *Podrían imprimirse tus palabras* — *repuso Werther con una sonrisa amarga* —, *y recomendarlas a todos los que se dedican a la enseñanza. ¡Ah, querida Carlota!, dame un plazo corto y todo estará bien.*

— *Concedido; pero no vuelvas hasta la víspera de Navidad.*

Werther iba contestar cuando llegó Alberto. Se saludaron con tono seco y ambos se pusieron a caminar, uno al lado del otro, con una carga evidente. Werther habló de cosas sin importancia que dejaba a medias; Alberto, después de hacer lo propio, preguntó a su mujer por algunos encargos que le había dado.

Al saber que no los había terminado, le dijo algunas cosas que parecieron a Werther no sólo frías, sino duras. Éste quiso marcharse y le faltaron fuerzas. Permaneció ahí hasta las ocho, su mal humor creció; cuando vio que alistaban la mesa, tomó su bastón y su sombrero. Alberto le invitó a quedarse; pero consideró él la invitación como una acto de cortesía forzada y se retiró, no sin antes agradecer con frialdad. Cuando llegó a su casa, tomó la luz de manos de su sirviente, que quería alumbrarle y subió solo a su cuarto. Una vez ahí, se puso a recorrerla con pasos grandes, sollozando y hablando solo pero en voz alta y con ardor; acabó por arrojarse vestido sobre la cama, donde el criado le encontró tendido a las 11, cuando fue a preguntar si quería que le quitara las botas. Werther aceptó y le prohibió que entrara a su habitación al día siguientes antes de que le llamará.

El lunes por la mañana, 21 de diciembre, escribió a Carlota la siguiente carta, que se encontró cerrada sobre su mesa y fue entregada a su amada.

La incluimos aquí por fragmentos, como parece que la escribió:

"Está decidido, Carlota: quiero morir y te lo informo sin ninguna intención romántica, con la cabeza tranquila, el mismo día en que te veré por última vez.

"Cuando leas estas líneas, amada Carlota, yacerán en la tumba los despojos del desdichado que en los últimos momentos de su vida, no encuentra placer más dulce que el de hablar contigo en la mente. He pasado una noche terrible; con todo, ha sido benéfica, porque me ha ayudado a resolverme. ¡Quiero morir!

"Al separarnos ayer, un frío inexplicable se apoderó de todo mi ser; volvía la sangre a mi corazón y respirando con angustiosa dificultad pensaba en mi vida, que se consume cerca de ti, sin alegría, sin esperanza. ¡Ah!, estaba helado de miedo. Apenas pude llegar a mi alcoba, donde caí arrodillado, loco por completo. ¡Oh, Dios mío! Tú me concediste por última vez el consuelo del llanto. ¡Pero qué lágrimas tan amargas! Mil ideas, mil proyectos agitaron mi espíritu, fundiéndose, al fin, todos en uno solo; pero firme, inquebrantable: ¡morir! Con esta decisión me acosté; con esta resolución, firme y terminante como ayer, he despertado: ¡quiero morir! No es desesperación, es convicción, mi carrera está terminada y me sacrifico por ti. Sí, Carlota, ¿por qué te lo debería ocultar? Es necesario que uno de los tres muera y deseo ser yo. ¡Oh, vida de mi vida! Más de una vez en mi alma desgarrada se ha introducido un horrible pensamiento: matar a tu esposo... a ti... a mí. Debo ser yo; así será.

"Cuando al anochecer de un día hermoso de verano, subas a la montaña, piensa en mí y recuerda que he recorrido el valle muchas veces; mira después hacia el cementerio y a los últimos rayos del sol poniente, ve cómo el viento azota la hierba de mi tumba. Estaba tranquilo al comenzar esta misiva y ahora lloro como niño. ¡Tanto martirizan estas ideas a mi pobre corazón!

Werther llamó a su criado cerca de las 10; mientras lo vestía le dijo que iba a hacer un viaje de algunos días y que debía por lo tanto *arreglar la ropa y alistar maletas; también le ordenó arreglar las cuentas, recoger muchos libros prestados y dar a algunos pobres, a quienes socorría una vez a la semana, la donación de dos meses adelantados.*

Pidió el almuerzo en su habitación y después de comer, se enfiló a casa del administrador, a quien no halló. Paseó por el jardín pensativo, lo que parecía indicar el deseo de fundir en una sola todas las ideas capaces de enardecer sus amarguras. Los niños no lo dejaron solo mucho tiempo: salieron en su busca saltando de gusto y le dijeron que los días siguientes Carlota les daría los regalos de Navidad; al respecto le dijeron todas las maravillas que la imaginación les ofrecía. "¡Mañana!", dijo Werther, "¡y pasado mañana..., y el día siguiente!"

Los abrazó con cariño y se disponía a alejarse cuando el más pequeño mostró querer susurrarle algo. El secreto se redujo a informarle que sus hermanos mayores habían escrito felicitaciones para año nuevo: una para el papá, otra para Alberto y Carlota, y otra para el señor Werther. Todas las entregarían por la mañana temprano el 1 de enero. Estas palabras lo llenaron de ternura; hizo algunos regalos a todos y luego de encargarles que dieran memorias a su papá, montó su caballo y se marcho con lágrimas en los ojos.

A las cinco regresó a casa; recomendó a la criada que cuidara el fuego de la chimenea hasta la noche y pidió al sirviente que empacara los libros y la ropa blanca, y metiera los trajes a la maleta. Puede pensarse que después de esto fue cuando escribió el siguiente fragmento de su última carta a Carlota:

"Tú no esperas; crees que voy a obedecerte y a no volver a tu casa hasta nochebuena. ¡Oh, Carlota! Hoy o nunca. En la víspera de Navidad tendrás este papel en tus temblorosas manos y le humedecerás con tu precioso llanto. Lo quiero, es necesario. ¡Oh, qué contento estoy con mi decisión!"

Mientras tanto, Carlota estaba de un ánimo muy extraño. En su última entrevista con Werther había entendido lo difícil que sería instarlo a alejarse y había adivinado mejor que nunca los tormentos que él sufriría lejos de ella.

Después de informar a su marido, incidentalmente, que Werther no volvería hasta la nochebuena, Alberto se fue a ver a un funcionario de un distrito colindante para tratar un asunto que debía tomarle hasta el siguiente día.

Carlota estaba sola; ninguna de sus hermanas la acompañaba. Tomando ventaja de esta circunstancia, se perdió en sus ideas y dejó vagar su espíritu entre los afectos de su pasado y su presente.

Se miraba unida para siempre a un hombre cuyo amor y lealtad conocía bien y por el que sentía un gran cariño; a un hombre que por su carácter, tan íntegro como apacible, parecía formado para garantizar la felicidad de una mujer honrada. Entendía lo que este hombre era y debía ser siempre para ella y para su familia.

Por otro lado, le había simpatizado tanto Werther desde el momento de conocerlo y llegó a quererlo tanto; era tan auténtico el afecto que los unía y había creado tal intimidad el largo trato que hubo entre ellos, que el corazón de Carlota conservaba de ello impresiones imborrables. Se había habituado a contarle todo lo que sucedía, todo lo que sentía.

Su partida por lo tanto produciría en la vida de Carlota un vacío que nada llenaría. ¡Ah! Si ella hubiera podido hacerle su hermano, ¡qué feliz hubiera sido! ¡Si hubiera podido casarlo con una de sus amigas! ¡Si hubiera podido restablecer la buena inteligencia que antes hubo entre Alberto y él! Revisó en la mente a todas sus amigas y en todas hallaba defectos... ninguna le pareció digna del amor de Werther. Después de mucha reflexión, concluyó por sentir confusamente, sin atreverse a confesárselo, que el secreto deseo de su corazón era reservárselo para ella, por más que

*se decía que ni podía ni debía hacerlo. Su alma, tan pura y hermo-
sa, y hasta ese momento tan inaccesible a la tristeza, recibió en
aquel momento una herida cruel. Sintió su corazón saltar y una
nube negra dilatarse ante ella.*

*A las 6:30 oyó a Werther, que subía la escalera y preguntaba
por ella. En el acto reconoció sus pasos y su voz, y su corazón latió
con viveza por primera vez, podemos decir, al acercarse el joven.
De buena gana hubiera ordenado que le dijeran que no estaba en
casa, y cuando lo vio entrar no pudo menos que exclamar, con
visible carga y muy emocionada.*

— ¡Ah! Has faltado a tu palabra.

— Yo no hice promesa alguna — respondió.

*— Pero debiste cuando menos escuchar mis ruegos, en consi-
deración a que fueron para bien de los dos.*

*No se daba cuenta de lo que hacía ni de lo que decía, y envió
por dos amigas suyas para no encontrarse sola con Werther. Éste
dejo algunos libros que se había llevado y pidió otros. Carlota esperaba con ansia la llegada de sus amigas; pero un instante después
deseaba lo contrario. Volvió la sirvienta y dijo que ninguna de las
dos podía acudir.*

*Entonces se le ocurrió ordenar a la criada que se quedará en el
cuarto contiguo, en su quehacer; pero de inmediato cambió de idea.*

*Werther caminaba por la sala visiblemente agitado. Carlota
se sentó al clave y quiso tocar un minué; sus dedos se resistían a
cooperar. Abandonó el clave y fue a sentarse al lado de Werther,
que ocupaba en el sofá el sitio habitual.*

— ¿No traes nada que leer? — preguntó ella.

— Nada — le contestó Werther.

*— Ahí, en mi cómoda, tengo la traducción que hiciste de unos
cuentos de Ossian. Aún no la he visto, pues esperaba que me la
leyeras; pero hasta ahora no se había dado la oportunidad.*

*Werther sonrió y fue por el manuscrito. Al tomarlo un estre-
mecimiento involuntario lo abordó; al hojearlo se le llenaron los
ojos de lágrimas. Luego, con esfuerzo, leyó lo siguiente:*

"¡Estrella del crepúsculo que brillas soberbia en occi-
dente, que asomas tu radiante faz entre las nubes y paseas
majestuosa sobre la colina! ¿Qué miras a través del follaje?
Los indómitos vientos se han apaciguado; se oye a lo lejos el
ruido del torrente; las espumosas olas se rompen al pie de
las rocas y el confuso rumor de los insectos nocturnos se
cierne en los aires. ¿Qué miras, luz hermosa? Sonríes y si-
gues tu camino. Las ondas se elevan con gozo hasta ti,
bañando tu brillante cabello. ¡Adiós, rayo de luz, dulce y
tranquilo! ¡Y tú, sublime luz del alma de Ossian, brilla, aparece ante mis ojos!

"Vela; ahí asoma todo su esplendor. Ya distingo a mis
amigos muertos; se reúnen en Lora como en mejores días...
Fingal avanza como una húmeda bruma; a su alrededor
están sus valientes. Ve los dulcísimos bardos: Ulino, con su
cabellos gris; el majestuoso Ryno; Alpino, el celestial cantor; y tú, quejumbrosa minona. 'Cuánto han cambiado,
amigos, desde las fiestas de Selma, donde nos peleábamos
el honor de cantar, como los céfiros de primavera columpia, unos tras otros, las lozanas hierbas de la montaña!'

"Se adelantó Minona con toda su belleza, con la vista
baja y los ojos con lágrimas. Flotaba su cabellera con el viento
de la colina. El alma de los héroes entristeció al escuchar su
dulce canto, porque habían visto en múltiples veces la tumba de Salgar, y muchas también la agreste morada de la blanca
Colma... de Colma, abandonada en la montaña sin más compañía que el eco de su cantarina voz. Salgar había prometido
asistir; pero antes de llegar la noche envolvió en la oscuridad a Colma. Escuchen su voz; oigan lo que cantaba al vagar
por la montaña:

COLMA

"Es de noche, estoy sola, pérdida en las tempestuosos cimas de los montes. El viento sopla en la montaña. El torrente se precipita con estruendo desde lo alto de las rocas. No tengo ni una cabaña para defenderme de la lluvia y estoy a la merced de estos peñascos bañados por la tormenta. Rompe, ¡oh, Luna!, tu prisión de nubes. ¡Surjan, luceros nocturnos! Que un rayo de luz me lleve al sitio donde el dueño de mi amor descansa de las fatigas de la casa, con el arco a sus pies, con los perros jadeando a su alrededor. ¿Es necesario que permanezca aquí, sola y sentada sobre la roca, encima de la cóncava cascada? Rugen el torrente y el huracán, pero, ¡ay!, no llega a mis oídos la voz del amado.

"¿Por qué demora tanto mi Salgar? ¿Habrá olvidado su palabra? Éstos son la roca y el árbol; éstas, las espumosas hondas. Tú me ofreciste venir al anochecer… ¡Ah! ¿Dónde estás, mi Salgar? Yo quería escapar contigo; quería abandonar por ti a mi orgulloso padre y a mi orgulloso hermano. Hace mucho tiempo que son enemigos nuestras familias; pero nosotros no somos enemigos, Salgar.

"¡Cálmate por un momento, huracán! ¡Enmudece por un momento, potente catarata! Deja que mi voz resuene por todo el valle y que la escuche mi viajero. Salgar, yo soy quien llama. Aquí está el árbol y la roca. Salgar, dueño de mí, aquí me tienes; ven… ¿por qué tardas?

"La Luna sale; las olas, en el valle, reflejan sus rayos; las rocas se esclarecen, las cumbres se alumbran; pero no veo a mi amado. Sus perros, que siempre se le adelantan, no me anuncian su llegada. ¡Ah! Salgar, ¿por qué me dejas sola?

"¿Pero quiénes son aquellos que se divisan abajo entre los arbustos? ¿Mi amado? ¿Mi hermano? Hablen, amigos míos… ¡Ah!, no responden… ¡Qué ansiedad la de mi alma!

¡Están muertos! Sus cuchillas están enrojecidas con la sangre del combate. ¡Oh, hermano, hermano mío! ¿Por qué has matado a mi Salgar? Y tú, mi querido Salgar, ¿por qué has matado a mi hermano? ¡Los quería tanto a ambos! ¡Estabas tú tan bello entre mil guerreros de la montaña! ¡Y él era tan bravo en la pelea! Escuchen mi voz y respondan, mis amados. ¡Pero ay de mí!, están mudos, mudos para siempre. Sus corazones están helados como la tierra.

"¡Oh! Desde las altas rocas, desde las cumbres en que se forman las tempestades, háblenme, espíritus de los muertos. Yo les atenderé sin miedo. ¿Adónde han ido a descansar? ¿En qué gruta del monte podré hallarles? Ninguna voz suspira en el viento; ningún gemido solloza entre la tempestad. Aquí, abismada en mi dolor, anegada en llanto, espero el nuevo día. Caven su sepulcro, amigos de los muertos; pero no lo cierren hasta que yo baje.

"Mi vida se desvanece como un sueño. ¿Puedo vivir sin ustedes? Aquí, cerca del torrente que salta entre peñascos, donde quiero permanecer con ellos. Cuando la noche caiga sobre la montaña y sople el viento en el páramo, mi espíritu se lanzará al espacio y lamentará la muerte de mis amigos. El cazador oirá desde su cabaña de follaje; mi voz le dará miedo y a pesar de ello, me amará, porque será dulce mientras llore por ellos. ¡Los quería tanto! Así cantabas, ¡oh, Minona, bella y pálida hija de Torman! Nuestro llanto corre por Colma y nuestra alma se oscurece como la noche.

"Ulino apareció con el arpa y nos hizo oír el cantar de Alpino. Alpino fue un cantor melodioso y el alma de Ryno era un rayo de lumbre. Pero uno y otro yacían en la estrecha mansión de los muertos y sus voces no llegaban a Selma.

"Un día, al volver Ulino de cazar, antes que los dos héroes hubieran muerto, les oyó cantar en la colina. Su canto era dulce, pero triste. Lamentaban la muerte de Morar, mayor de los héroes. El alma de Morar era gemela de la de Fingal; su espada, similar a la espada de Oscar. Murió, dijo su padre, y los ojos de su hermana Minona dejaron escapar las lágrimas al oír el canto de Ulino. Minona se retiró, como la Luna oculta la cabeza detrás de las nubes cuando presiente la tempestad. Yo acompañaba con el arpa el canto de las lamentaciones.

RYNO

"El viento y la lluvia pararon; el día es caluroso; las nubes de apartan; el Sol, hacia el ocaso, dora con sus últimos rayos las crestas de los montes. El torrente, con un color rojo, rueda por el valle. Dulce es tu murmullo, ¡oh, río Pero más dulce la voz de Alpino, cuyo canto escucho para los muertos. Su cabeza está inclinada por el peso de los años y sus ojos, escaldados por el llanto. Alpino, ¿por qué vas a solas por la montaña silenciosa? ¿Por qué gimes como el viento en el bosque y como la ola que se rompe en la lejana playa?

ALPINO

"Mi llanto, Ryno, proviene de los muertos. Mi voz se eleva por los habitantes del sepulcro. Tú eres ágil y delgado, Ryno; eres bello entre los hijos de la montaña; pero caerás como Morar y la aflicción irá también a sentarse sobre tu ataúd. La montaña se olvidará de ti y tu arco abandonado colgará de la muralla. ¡Oh, Morar!, tú eres ligero como el corzo en la colina, temible como el fuego del cielo en la oscuridad de la noche; tu cólera era una tempestad, tu espada, un rayo en el combate, tu voz era el rugir del torrente después de la lluvia, el del trueno rodando sobre las montañas. Muchos han sucumbido ante el golpe de tu brazo; la llama de tu cólera los ha consumido...

Pero cuando volvías de la guerra, ¡tu frente era tan dulce y apacible! Tu rostro parecía el Sol después de la tormenta; parecía la Luna al alumbrar una noche serena. Tu pecho era tranquilo como el mar cuando se calma y el viento que lo agita. ¡Qué estrecha y sombría es ahora tu morada! Con tres pasos se mide la sepultura del que no hace mucho fue tan grande. Cuatro piedras, cubiertas de musgo, son tu único monumento. Un árbol sin hojas, altas hierbas que mece la brisa. Esto es todo lo que muestra al experto cazador el lugar donde yace el poderoso Morar. Tú no tienes madre ni amante que te lloren: murió la que te engendró; murió también la hija de Morglan. ¿Quién es el hombre que se apoya en un bastón? ¿Quién es aquel hombre cuya cabeza blanquea por la edad y cuyos ojos se enrojecen por llorar? Es tu padre, ¡oh, Morar!, tu padre, que no tenía otro hijo. Muchas veces oyó hablar de tu valor, de los enemigos que cayeron ante tu espada; muchas veces oyó hablar de la gloria de Morar. ¡Ay! ¿Por qué le contaron también tu muerte?

"Llora, padre de Morar, llora, que tu hijo no oirá. El sueño de los muertos es muy profundo; su almohada está muy honda. No se levantará tu hijo al escuchar tu voz; no se despertará con tu grito. ¡Ah! ¿Cuándo penetrará la luz en el sepulcro? ¿Cuándo se podrá decir al que duerme él: 'despierta'? ¡Adiós, noble joven; adiós, valiente guerrero! Ya no volverán a verte los campos de batalla; ya el bosque oscuro no se iluminará con el centelleo de tu espada. No has dejado hijos; pero el canto de los trovadores conservará y transmitirá tu nombre a la posteridad. Las generaciones futuras conocerán tus logros y sabrán de Morar.

"La aflicción de los guerreros era honda; pero el sollozo de Armino la controlaba. Este canto le recordaba la pérdida de un hijo, muerto en plena juventud. Carmor estaba junto al héroe: Carmor, el príncipe de Galmal.

"¿Por qué suspiras así?, le dijo. ¿Es en este sitio donde se debe llorar? La música y el canto que se dejan oír, ¿no son para reanimar el espíritu, lejos de abatirle? Son como el leve vapor que escapa del lago, invade el bosque y humedece las flores; el Sol luce fulguroso y los vapores se esparcen. ¿Por qué estás triste, ¡oh, Armino!, tú que reinas en Gorma, ceñida de las olas?

ARMINO

"Estoy triste y tengo motivos para estarlo. Carmor, tú no has perdido un hijo ni tienes que llorar la muerte de una hija de gran hermosura. Colgar, el intrépido joven, vive aún, así como la bella Annira. Los retoños de tu raza florecen, Carmor; pero Armino es el último del linaje. Sombrío es tu lecho, Daura; como tu sueño en el sepulcro. ¿Cuándo despertarás? ¿Cuándo volverá a surgir tu voz? Levántense vientos del otoño…, embistan la oscura maleza. Torrentes de la selva, desbórdense. Huracanes, rujan en las encinas… Y tú, Luna, enseña y oculta tu pálido rostro entre las rasgadas nubes. Recuérdame la terrible noche en que murieron mis hijos, mi valiente Arindal y mi querida Daura.

"Daura, hija; eras hermosa como el astro de plata que blanquea las colinas de Fura; eras blanca como la nieve y dulce como la brisa embalsamada matutina.

"Arindal, tu arco era invencible, rápido tu dardo en el campo de batalla, poderosa tu mirada, como la nube que va sobre las olas; tu escudo parecía un meteoro dentro de una tempestad.

"Armar, célebre en los combates, solicitó el amor de Daura y rápido lo consiguió. Hermosas eran las esperanzas de sus amigos. Pero Erath, hijo de Odgall, temblaba de rabia porque su hermano había sido asesinado por Armar. Vino disfrazado de batelero; su barca se columpiaba gallardamente sobre las ondas. Traía el pelo blanco; su aspecto era serio y tranquilo. '¡Oh, tú, la más bella de las jóvenes, amable hija de Armino, dijo; allá abajo, en una roca, cerca de la orilla, espera Armar a su amada Daura'. Ella le siguió y llamó a Armar; pero sólo el eco respondió a su llamado. Armar, dueño de mi alma, mi bien, ¿por qué me apenas de este modo? Escucha, hijo de Arnath, atiende mis súplicas... Es tu Daura quien te invoca.

"El traidor Erath la dejó sobre la roca y regresó a tierra con risa. Daura se deshizo en gritos, llamando a su padre y a su hermano: 'Arindal, Armino, ¿no vendrán ninguno a salvar a su Daura?' Su voz surcó los mares. Arindal, hijo, bajó de la montaña cargado con el botín de la caza, con las flechas suspendidas del costado, el arco en la mano y rodeado de cinco perros negros. Distinguió en la orilla al audaz Erath; se apoderó de él y le ató a un roble con fuertes ligaduras. Mientras Erath llenaba el espacio de gemidos, Arindal, tomando su barca, se enfiló a la roca donde estaba Daura. En esto llega Armar, prepara con furia una flecha, silba el dardo y tú, hijo mío, mueres por el golpe destinado a Erath, el pérfido. En el momento en que la barca llegó a la roca, Arindal dio el último suspiro. ¡Oh, Daura! La sangre de tu hermano corrió a tus pies. ¡Cuán grande habría sido tu desesperación! La barca, deshecha contra la roca, se hundió en el abismo. Armar se lanzó al agua para salvar a Daura o perecer. Una corriente de viento de la montaña agita el oleaje y Armar desaparece para siempre. Mi desgraciada hija quedaba desamparada, sola, sobre un peñasco atacado por las olas. Yo, su padre, escuchaba sus lamentos y nada podía hacer para socorrerla. Toda la noche estuve en la orilla, contemplándola ante los tenues rayos de la Luna. Toda la noche oí sus clamores. El viento soplaba, el agua caía a torrentes, y la voz de Daura se debilitaba conforme se acercaba el día. Pronto se apagó en su totalidad, como se va la brisa de las tardes entre las hierbas de la montaña. Consumida en desesperación, expiró, dejando a Armino solo en el mundo. Mi valor, mi fuerza y mi orgullo murieron con ella.

"Cuando las tormentas bajan de la montaña; cuando el viento alborota el oleaje, me postro en la ribera y miro la funesta roca. Muchas veces, cuando la Luna aparece en el cielo, veo flotar en la oscuridad iluminada las almas de mis hijos, que vagan por el espacio, unidos fraternalmente en un abrazo".

Un raudal de lágrimas, que brotó de los ojos de Carlota, desahogando su corazón, interrumpió la lectura de Werther. Éste hizo a un lado el manuscrito y tomando una de las manos de la joven, soltó también el amargo llanto. Carlota, apoyando la cabeza en la otra mano, se cubrió el rostro con un pañuelo. Víctimas ambos de una terrible agitación, veían su propia desdicha en la suerte de los héroes de Ossian y juntos lloraban. Sus lágrimas se confundieron. Los ardientes labios de Werther tocaron el brazo de Carlota; ella se estremeció y quiso retirarse; pero el dolor y la compasión la tenían atada a su silla como si un plomo pesara sobre su cabeza. Ahogándose y queriendo dominarse, suplicó con sollozos a Werther que siguiera la lectura; su voz rogaba con un acento del cielo.

Werther, cuyo corazón latía con la violencia de querer salir del pecho, temblaba como un azogado. Tomó el libro y leyó inseguro:

"¿Por qué me despiertas, soplo embalsamado de primavera? Tú me acaricias y me dices: 'traigo conmigo el rocío del cielo; pero pronto estaré marchito, porque pronto vendrá la tempestad, arrancará mis hojas. Mañana llegará el viajero; vendrá el que me ha conocido en todo mi esplendor; su vista me buscará a su alrededor y no me hallará".

Estas palabras causaron a Werther un gran abatimiento. Se arrojó a los pies de Carlota con una desesperación completa y espantosa, y tomándole las manos las oprimió contra sus ojos, contra la frente.

Carlota sintió el vago presentimiento de un siniestro propósito. Trastornado su juicio, tomó también las manos de Werther y las colocó sobre su corazón. Se inclinó con ternura hacia él y sus mejillas se tocaron. El mundo desapareció para los dos; la estrechó entre sus brazos, la apretó contra el pecho y cubrió con besos los temblorosos labios de su amada, de los que salían palabras entrecortadas.

— ¡Werther! — murmuraba con voz ahogada y desviándose —. ¡Werther!, insistía, y con suave movimiento trataba de retirarse.

— ¡Werther! — dijo por tercera vez —, ahora con acento digno e imponente.

Él se sintió dominado; la soltó y se tiró al suelo como un loco. Carlota se levantó y en un trastorno total, confundida entre el amor y la ira, dijo:

— Es la última vez, Werther; no volverás a verme.

Y entregándole una mirada llena de amor a aquel desdichado, corrió a la habitación contigua y ahí se encerró.

Werther extendió las manos sin atreverse a detenerla. En el suelo y con la cabeza en el sofá, permaneció más de una hora sin dar señales de vida.

Al cabo de ese tiempo oyó ruido y despertó. Era la criada que venía a poner la mesa. Se levantó y se puso a caminar por el cuarto. Cuando volvió a quedarse solo, se acercó a la puerta por donde había entrado Carlota y dijo en voz baja:

— ¡Carlota! ¡Carlota! Una palabra al menos, un adiós siquiera…

Ella guardó silencio. Esperó, suplicó, esperó una vez más...
Por último se alejó de la puerta gritando:

— ¡Adiós, Carlota... adiós para siempre!

Llegó a las puertas de la ciudad; los guardias, que acostum-
braban verlo, lo dejaron pasar. Caían menudos copos de nieve; él,
no obstante, no volvió a la población sino una hora antes de la
medianoche.

Cuando llegó a su casa, el criado observó que no traía su som-
brero, pero no se aventuró a decirle nada. Le ayudó a desvestirse:
toda la ropa estaba calada. Más tarde, encontraron el sombrero en
un peñasco que destacaba sobre todos los de la montaña y que
parece desgajarse sobre el valle. No se sabe cómo en una noche
lluviosa y oscura pudo llegar a ese punto sin caer. Se acostó y
durmió mucho tiempo; cuando el criado entró al cuarto al día si-
guiente para despertarlo, lo encontró escribiendo. Werther le pidió
café, mismo que enseguida la sirvió.

Werther entonces agregó estos párrafos a la carta que había
iniciado para Carlota:

"Esta vez es la última que abro los ojos; la última, ¡ay de
mí! Ya no volverán a ver la luz del día. Estarán cubiertos
por una niebla densa y oscura. ¡Sí, viste de luto, naturaleza!
Tu hijo, tu amigo, tu amante se acerca a su término. ¡Ah,
Carlota!, es una cosa que no se parece a nada y que sólo
puede compararse con las percepciones confusas de un sueño, el decirse; '¡Esta mañana es la última!' Carlota, apenas
puedo entender el sentido de estas palabras: '¡La última!'
Yo, que ahora tengo la plenitud de mis fuerzas, mañana rígido e inerte estaré sobre la tierra. ¡Morir! ¿Qué es eso? Ya
lo ves: los hombres soñamos siempre que hablamos de la
muerte. He visto morir a mucha gente; pero somos tan pobres de mente que no sabemos nada del principio ni del fin
de la vida. En este momento todavía soy mío... todavía soy

tuyo, sí, tuyo, querida mía; y dentro de poco... ¡separados, aislados, quizá para siempre! ¡No, Carlota, no! ¿Cómo puedo dejar de ser? Existimos, sí. ¡Dejar de ser! ¿Qué significa esto? Es una frase más, un ruido que mi corazón no entiende. ¡Muerto, Carlota! ¡Cubierto en la tierra fría, en un rincón angosto y oscuro! Tuve yo cuando adolescente una amiga que era apoyo y consuelo de mi abandonada juventud. Murió y estuve con ella hasta la fosa, donde vi cuando bajaron el ataúd; oí el crujir de las cuerdas cuando las soltaron y cuando las recogieron. Luego arrojaron la primera palada y la fúnebre caja hizo un ruido sordo; después, más sordo; y después, aún más, hasta que quedó cubierta de tierra por completo. Caí al lado de la fosa, delirante, oprimido y con las entrañas despedazadas. Pero no supe nada de lo que me sucedió, de lo que me sucederá. ¡Muerte! ¡Tumba! No entiendo estos conceptos.

"¡Oh! ¡Perdóname, perdóname! Ayer... aquel debió ser el último momento de mi vida. ¡Oh, ángel! Fue la primera vez, sí, que una alegría pura e infinita llenó mi ser.

"Me ama, me ama... Aún quema mis labios el fuego sagrado que emanaba de los suyos; todavía colman mi corazón estas delicias abrasadoras. ¡Perdóname, perdóname! Sabía que me amabas; lo sabía desde tus primeras miradas, aquellas miradas llenas de ti; lo sabía desde la primera vez que me diste la mano. Y, sin embargo, cuando me separaba de ti o veía a Alberto contigo, me atacaban las dudas.

"¿Recuerdas de las flores que me enviaste el día de esa enojosa reunión en que ni pudiste darme la mano ni decirme palabra alguna? Pasé de rodillas media noche frente a las flores, porque eran para mí el sello de tu amor; pero ¡ay!, estas impresiones se borraron como se borra paso a paso en el corazón del creyente el sentimiento de la gracia de que Dios le prodiga por medio de símbolos visibles. Todo perece, todo: pero ni la misma eternidad puede acabar con la candente vida que ayer tomé de tus labios y que siento en mi interior. ¡Me ama! Mis brazos la han estrechado; mi boca ha temblado, ha murmurado palabras de amor sobre la suya. ¡Es mía! ¡Eres mía! Sí, Carlota; mía para siempre. ¿Qué importa que Alberto sea tu esposo? No lo es más que para el mundo; para ese mundo que dice que amarte y querer arrancarte de los brazos de tu marido para cobijarte en los míos es pecado. ¡Pecado!, sea. Si lo es, ya lo expío. He saboreado ese pecado en sus delicias, en su éxtasis inconmensurable. He aspirado el bálsamo de la vida y con él he fortalecido mi alma. Desde este momento eres mía, ¡mía, Carlota! Voy delante de ti; voy a reunirme con mi padre, que también lo es de ti, Carlota; me quejaré y me consolará hasta que tú aparezcas. Entonces volaré a tu encuentro, te recibiré en mis brazos y nos uniremos en presencia del eterno, con un abrazo que no tendrá fin. No sueño ni deliro. Al borde del sepulcro brilla para mí la verdadera luz. ¡Volveremos a estar juntos! ¡Veremos a tu madre y le diremos todas las penas de mi corazón! ¡Tu madre! ¡Imagen tuya perfecta!"

A las 11 llamó Werther a su criado y le preguntó si había regresado Alberto; el criado dijo haberlo visto pasar en su caballo. Entonces le mandó una carta abierta que sólo contenía estas palabras:

"¿Me harías el favor de prestarme tu pistola: para un viaje que he planeado? Que estés bien. Adiós".

La pobre Carlota apenas había dormido la noche anterior. Su sangre pura, que hasta entonces había corrido por su venas en calma, se agitaba febril. Mil sensaciones distintas conmovían su noble corazón. ¿Era que le consumía el corazón el calor de las caricias de Werther o que estaba indignada de su atrevimiento? ¿Era que le mortificaba el comparar su situación con su vida pasada, con sus días de inocencia, sosiego y confianza? ¿Cómo presentarse ante su esposo? ¿Cómo confesarle una escena que ella misma no quería aceptar, por más que no tuviera nada de qué avergonzarse? Mucho tiempo hacía que marido y mujer no hablaban de Werther y justo ella debía romper el silencio para hacerle una confesión igual de penosa como inesperada. Temía que el solo anuncio de la visita de Werther fuera para Alberto motivo de mortificación. ¿Qué sucedería al saber todo lo ocurrido? ¿Podría esperar que juzgara las cosas sin pasión y las viera tal como se habían presentado? ¿Podría desear que leyera claramente en el fondo de su alma? Y, por otra parte, ¿cómo disimular ante un hombre para quien su pecho había sido siempre un transparente cristal y a quien ni había ocultado ni quería ocultar nunca el menor pensamiento? Estas reflexiones la abrumaban y la ponían en una cruel incertidumbre; siempre su pensamiento se dirigía a Werther, que la adoraba; hacia Werther, a quien no podía abandonar y a quien necesario era dejar. ¡Ah! ¡Qué vacío para ella!

Aunque la agitación de su espíritu no le permitiera ver con claridad la verdad de las cosas, comprendió que pesaba sobre ella la fatal desavenencia que apartaba a su marido y a Werther; dos hombres tan buenos y tan inteligentes que, iniciando por ligeras divergencias de sentimientos, había llegado a una mutua reserva y a una indiferencia glacial. Cada uno se encerraba en el círculo de su propio derecho y de los errores del otro. La tensión había aumentado por ambas partes, llegando a ser tal la situación que ya no podía resolverse sin violencia. Si una dichosa confianza los hubiera unido más en los primeros momentos; si la amistad y la indulgencia hubieran abierto sus almas a dulces expansiones, quizá se hubiera podido salvar el desgraciado joven. Una circunstancia particular aumentaba la perplejidad de Carlota. Werther, como leemos en sus cartas, no ocultó nunca su deseo de dejar el mundo. Alberto había combatido la idea muchas veces y a menudo había platicado sobre ella con su mujer. Impulsado por una instintiva repugnancia hacia el suicidio, Alberto había dado a entender a menudo, con una especie de ligereza de carácter, y hasta se había permitido una que otra burla sobre el asunto, haciendo así que su incredulidad se reflejara un tanto en Carlota. Esto la tranquilizaba un poco cuando en su ser aparecían siniestras imágenes; pero de la misma forma le impedía manifestar sus temores a su marido.

No tardó Alberto en llegar y ella salió a recibirlo con una solicitud no libre de vergüenza. Alberto parecía disgustado. No había podido terminar sus negocios por algunos problemas, relacionadas con el carácter intratable y minucioso del funcionario. El mal estado de los caminos había acabado de ponerle de mal humor. Preguntó lo que había sucedido en su ausencia y su mujer se apresuró a decirle que Werther había estado ahí la tarde del día anterior. Informado después de que en su cuarto tenía algunas cartas y paquetes que habían llevado para él, dejó sola a Carlota. La presencia del hombre por quien sentía tanto cariño y tanto respeto hizo una nueva revolución en su espíritu. El recuerdo de su generosidad, de su amor y de sus bondades, le regresó la calma. Sintió un secreto deseo de seguirle y con decisión hizo lo que muchas veces: ir a buscarlo a su cuarto. Le encontró abriendo y leyendo cartas; algunas parecían llenas de noticias desagradables. Le hizo varias preguntas al respecto y él contestó con excesiva brevedad, para después empezar a escribir. Durante una hora estuvieron callados, uno frente al otro. El humor de Carlota se oscurecía por momentos. Comprendía que aunque su marido estuviera del mejor ánimo, iba a verse apurada para explicar lo que sentía su corazón y cayó en un abatimiento que se profundizaba a medida que se esforzaba por ocultar y devorar sus lágrimas.

La llegada del criado de Werther aumentó su preocupación. Aquél entregó la carta de su amo y Alberto, después de leerla, se dio la vuelta, indiferente, hacia su mujer, diciéndole:

— Dale las pistolas.

Luego hacia el criado agregó:

— Di a tu amo que le deseo buen viaje.

Estas palabras tuvieron en Carlota el efecto de un rayo. Apenas pudo levantarse. Se dirigió lento a la pared, descolgó las armas y las limpió temblorosa. Estaba indecisa y hubiera tardado mucho en entregarlas al criado, si Alberto, con mirada inquisidora, no la hubiera forzado a obedecer.

Carlota entregó las pistolas sin poder decir una sola palabra. Cuando éste se retiró, Carlota volvió a tomar su labor y se fue a su habitación, presa de una gran turbación y con el corazón agitado por los presentimientos.

Tan pronto quería ir y arrojarse a los pies de su esposo y confesarle lo sucedido, la turbación de su conciencia y sus terribles temores, como desistía de hacerlo, preguntándose de qué serviría el acto. ¿Podía esperar que su marido, en atención a sus súplicas, corriera de inmediato a casa de Werther?

La comida estaba en la mesa. Llegó una amiga de Carlota que sin otra cosa que la intención de verla y con temor a importunar, decidió retirarse. Carlota la hizo quedarse. Esto dio pie a una conversación que animó la comida y aunque esforzándose, se habló y se dio todo al olvido.

El criado de Werther llegó a casa con las pistolas y se las dios a su amo, quien las tomó con un tipo de placer cuando supo que venían de las manos de Carlota.

Ordenó que le llevaran pan y vino, y después de decir a su criado que fuera a comer, se puso a escribir:

"Han pasado por tus manos; tú misma las has desempolvado; tú las has tocado... y yo las beso ahora una y mil veces. ¡Ángel del cielo, tú apoyas mi decisión! Tú, Carlota, eres quien me entregas esta arma destructora; así recibiré la muerte de quien quería recibirla yo. Me he enterado por el criado de los pormenores! Temblabas al darle estas pistolas..., pero ni un 'adiós' me haces llegar. ¡Ay de mí!, ni un 'adiós'. ¿Quizá el odio me ha cerrado tu corazón por aquel instante de embriaguez que me unió a ti para siempre? ¡Ah, Carlota!, el transcurso de los siglos no borrará aquella impresión; y tú, estoy seguro, no podrás aborrecer nunca a quien tanto te ha idolatrado".

Después de comer envió al criado que acababa de empacar todo. Rompió muchos papeles. Salió a pagar algunas cuentas pendientes y regresó a casa. Más tarde, a pesar de la lluvia, salió de nuevo y fue al jardín del difunto conde de M., fuera del pueblo. Paseó mucho tiempo por los alrededores y regresó a su casa al anochecer. Entonces escribió:

"Guillermo: por última vez he visto los campos, el cielo y los bosques. También a ti doy el último adiós. Tú, madre, perdóname. Consuélala, Guillermo. Que Dios los llene de bendiciones. Todos mis asuntos quedan saldados. Adiós; nos volveremos a ver y entonces seremos más felices.

"Mal he pagado tu amistad, Alberto; pero sé que me perdonas. He turbado la paz de tu hogar; he introducido la desconfianza entre ustedes… Adiós, quiera el cielo que mi muerte te devuelva la felicidad. ¡Alberto!, haz feliz a ese ángel, para que la bendición de Dios descienda sobre ti".

Por la noche estuvo revolviendo sus papeles; rompió muchos, que lanzó al fuego, y cerró algunos pliegos dirigidos a Guillermo. El contenido de estos se reducía a breves disertaciones y pensamientos inconexos, de los cuales no conozco más que una parte. A eso de las 10 ordenó echar más leña al fuego y que le llevaran una botella de vino; después mandó a dormir a su criado. El cuarto de éste, como los de todos los que vivían en la casa, estaba muy lejos del de Werther.

El criado se acostó vestido para estar listo muy temprano, pues su amo le había dicho que los caballos de posta llegarían antes de las seis de la mañana.

Después de las 11

"Todo duerme a mi alrededor y mi alma está tranquila. Te doy las gracias, Dios, por haberme concedido en momento tan supremo resignación tan mayúscula. Me asomo a la ventana, amada mía, y distingo a través de las tempestuosas nubes unos luceros esparcidos en la inmensidad del cielo. ¡Ustedes no desaparecerán, astros inmortales! El eterno los lleva, lo mismo que a mí. Veo las estrellas de la Osa, que es mi constelación predilecta, porque de noche, cuando salía de tu casa, la tenía siempre enfrente. ¡Con qué delicia la he visto tantas veces! ¡Cuántas veces he levantado mis manos hacia ella para tomarla por testigo de la felicidad que entonces disfrutaba! ¡Oh, Carlota! ¿Qué hay en el mundo que no traiga tu recuerdo a mi mente? ¿No estás en todo lo que me rodea? ¿No te he robado, con la codicia de un niño, mil objetos sin importancia que habías santificado con tu toque?

"Tu retrato, muy querido para mí, te lo doy con la súplica de que lo conserves. He impreso en él mil millones de besos y lo he saludado mil veces al entrar en mi habitación y al salir de ella. Dejo una carta escrita para tu padre, en la que ruego proteja mi cadáver. Al final del cementerio, en la parte que da al campo, hay dos tilos, en cuya sombra deseo descansar. Esto puede hacer tu padre por su amigo y tengo la seguridad de que lo hará. Pídeselo tú también, Carlota. No pretendo que los piadosos cristianos dejen depositar el cuerpo de un desgraciado cerca de los suyos. Quisiera que mi sepultura estuviera a orillas de un camino o en un valle solitario, para que cuando el sacerdote o el levita pasen junto a ella, elevaran sus brazos al cielo, con una bendición, y para que el samaritano la regara con sus lágrimas. Carlota: no tiemblo al tomar el cáliz terrible y frío que me dará la embriaguez de la muerte. Me lo has entregado y no dudo.

Así van a cumplirse todas las esperanzas y todos los deseos de mi vida, todos, sí, todos.

"Sereno y tranquilo tocaré la puerta de bronce del sepulcro. ¡Ah! ¡Si hubiera tenido la suerte de morir como sacrificio por ti! Con alegría y entusiasmo hubiera dejado este mundo, seguro de que mi muerte afianzaba tu descanso y la felicidad de toda tu vida. Pero, ¡ay!, sólo algunos seres con privilegios logran dar su vida por los que aman y ofrecerse en holocausto para centuplicar los goces de sus existencias amadas. Carlota: deseo que me entierren con el vestido que tengo puesto, pues tu lo has bendecido al tocarlo. La misma petición hago a tu padre. Mi alma se cierne sobre el féretro. Prohíbo que me registren los bolsillos. Llevo en uno aquel lazo de cinta rosa que tenías en el pecho el primer día que te vi, rodeada por tus niños... ¡Oh!, abrázalos mil veces y cuéntales la desgracia de su amigo. ¡Cómo los quiero! Aún los veo agitarse a mi alrededor. ¡Ay! ¡Cuánto te he amado, desde el momento primero de verte! Desde ese momento comprendí que llenarías vida... Haz que entierren el lazo conmigo... Me lo diste el día de mi cumpleaños y lo he guardado como una reliquia santa. ¡Ah! Nunca sospeché que aquel principio llevaría a este final. Ten calma, te lo suplico, no desesperes... Están cargadas... Oigo las 12... ¡Que sea lo que tenga que ser! Carlota... Carlota... ¡Adiós! ¡Adiós!

Un vecino vio el fogonazo y oyó la detonación; pero, como todo permaneció en calma, no averiguó qué había sucedido.

A las seis de la mañana del siguiente día entró el criado en la alcoba con una luz y vio a su amo tendido, bañado en sangre y con una pistola. Le llamó y no consiguió respuesta. Quiso levantarle y vio que todavía respiraba. Corrió a avisar al médico y a Alberto. Cuando Carlota oyó la puerta, un temblor convulsivo se apoderó de su cuerpo. Despertó a su marido y se levantaron. El criado, entre llantos y sollozos, les dio la fatal noticia; Carlota cayó desmayada a los pies de su esposo.

Cuando el médico llegó al lado del infeliz Werther, lo encontró en el suelo y sin salvación posible. El pulso latía, pero todas sus partes estaban paralizadas. La bala había entrado por arriba del ojo derecho, haciendo saltar los sesos. Le sangraron de un brazo; la sangre corrió. Todavía respiraba. Unas manchas de sangre que se veían en el respaldo de su silla demostraban que consumó el acto sentado frente a la mesa en que escribía y que en las convulsiones de la agonía había caído al suelo. Se encontraba boca arriba, cerca de la ventana, vestido y con zapatos, con frac azul y chaleco amarillo.

La gente de la casa de la vecindad y poco después todo el pueblo se movieron. Llegó Alberto. Habían colocado a Werther en su lecho, con la cabeza vendada. Su rostro tenía ya el sello de la muerte. No se movía, pero sus pulmones funcionaban aún de un modo espantoso. Unas veces, casi de forma imperceptible; otras, con ruidosa violencia. Se esperaba que en cualquier momento exhalara el último suspiro.

No había bebido más que un vaso de vino de la botella sobre la mesa. El libro de Emilia Galotti estaba abierto sobre el pupitre. La consternación de Alberto y la desesperación de Carlota eran inefables.

El anciano administrador llegó, alterado y conmovido. Abrazó al moribundo, bañándole el rostro con su llanto. Sus hijos mayores no tardaron en unírsele y se arrodillaron junto al lecho, besando las manos y la boca del herido y demostrando estar poseídos del más intenso dolor. El de más edad, que había sido siempre el favorito de Werther, se colgó del cuello de su amigo y permaneció abrazado hasta que expiró. Hubo que quitarlo a la fuerza. A las 12 del día Werther falleció.

La presencia del administrador y las medidas que tomó evitaron todo desorden. Hizo enterrar el cadáver por la noche, a las 11, en el sitio que había pedido Werther. El anciano y sus hijos fueron formando parte del cortejo fúnebre; Alberto no tuvo tanto valor.

Durante algún tiempo se temió por la vida de Carlota. Los jornaleros condujeron a Werther al lugar de su sepultura; no le acompañó sacerdote alguno.

Fin

Herman
y
Dorotea

Poema en Nueve Cantos *

I

Calíope

La desgracia compartida

—Nunca vi la plaza y las calles tan vacías. Se diría que es una ciudad abandonada y muerta; apenas quedarán en ella unos 50 habitantes. ¡Lo que es la curiosidad! Todo el mundo corre para contemplar el infausto espectáculo de los fugitivos. De aquí a la carretera por donde deben pasar hay una larga hora de trayecto y, no obstante, todos corren para allá, al mediodía, entre nubes de polvo. Por mi parte, aseguro que no me movería de aquí para ver la miseria de esa pobre gente que se abandona, con lo que ha podido salvar, la orilla opuesta del Rin, tan bella, para atravesar, errantes, los tranquilos rincones de nuestro culto valle. ¡Oh, esposa! ¡Cuánto aprecio que hayas mandado a nuestro hijo para repartir entre esas pobres personas nuestras ropas usadas, comida y bebida! El dar es propio de los ricos. ¡Qué bien guía ese mozo! ¡Cómo refrena nuestros juguetones caballos! ¡Qué bien luce el cochecito nuevo! Caben en él con comodidad cuatro personas sin contar al cochero; hoy lo guía nuestro hijo solo. ¡Con qué ligereza ha dado la vuelta a la calle!

De esta suerte hablaba a su mujer, sentado en calma a la puerta de su casa, cerca del mercado, el hostelero del *León de Oro*.

—Amigo —le respondió su astuta y juiciosa mitad—, no suelo prodigar nuestras ropas de deshecho, porque pueden ser útiles y a veces hay que ocuparlas; mas hoy me hablaban los niños y ancianos desnudos y les he juntado con la mejor voluntad camisas y mantas que estaban todavía en buen estado. He puesto a contribución hasta tu armario, disculpa, y he tomado tu bata rameada indiana, forrada de bayeta fina; estaba ya gastada y fuera de moda.

El buen hostelero soltó la carcajada.

—Confieso —repuso—, que me separo de ella con pena, pues ya no se encuentra indiana como era. En fin, después de todo, ya no la usaba... Ahora hay que presentarse bien vestido y calzado ante los clientes desde el punto de la mañana; las zapatillas y el gorro están condenados al desuso.

—¡Ah! Por ahí regresan ya —interrumpió la mujer—, algunos de los que han ido a ver a los fugitivos; quizá ya hayan pasado. ¡Cómo vienen de polvo y de sudor! ¡Yo no iría tan lejos con este día de calor para ver espectáculo tal! ¡Bastante tendremos con escuchar sus relatos!

—El tiempo es estupendo para la recolección —dijo el hostelero—. Disfrutarlo así no es cosa de todos los días. Pondremos el trigo a cubierto en la granja, como ya hemos hecho con el heno, sin que caiga una gota de agua; el cielo está sereno, no se ve una nube y el levante esparce una frescura grata. Seguro durará este tiempo. Mañana empezarán los segadores la recolección del trigo granado.

Mientras hablaba, crecía el gentío de los que volvían. Al otro extremo del mercado se veía al rico vecino y primer negociante de la comarca, que volvía en uno de esos carruajes fabricados en Landua, de donde han tomado el nombre, compañía de sus dos hijas, y se detenía ante la puerta de su casa remodelada. Las calles fueron animándose; la pequeña ciudad tenía muchos habitantes y se dedicaba a diversos géneros de vida, fabricación y comercio.

El hostelero y su mujer miraban el movimiento creciente en la calle y se divertían haciendo comentarios en abundancia.

—Mira —dijo la hostelera—, el pastor viene hacia aquí en compañía de nuestro vecino el boticario; ellos nos contarán lo que han visto, que no debe ser muy agradable.

Ambos se acercaron de manera amistosa; saludaron a los esposos, se sentaron a su lado en un banco de madera que había en el portal, se limpiaron el polvo de los zapatos y se hicieron aire con el pañuelo. Luego de los cumplidos rituales, el boticario dijo algo malhumorado.

— ¡He ahí el carácter de los hombres! Ocurre una desgracia al prójimo: la casa incendiada, el condenado que camina a la tortura y se apresuran a contemplar el triste accidente boquiabiertos. Hoy ha salido todo el mundo al campo para ver el éxodo de esas pobres personas lanzadas de sus hogares, sin ver que todos están expuestos a una desgracia igual. Esta ligereza me parece imperdonable, pero tengo que confesar que está en la naturaleza humana.

El venerable pastor, lleno de buen sentido, tomó la palabra. Era la notabilidad del pueblo y aunque joven aún, se acercaba a la madurez. Conocía a fondo la vida de sus feligreses; procuraba que sus pláticas fueran de provecho para sus oyentes; se interesaba por todas las necesidades. Penetrado de la importancia de los libros sagrados, que nos revelan la condición del hombre y el fin de la providencia, se cultivaba también leyendo los mejores escritores profanos.

—No me gusta censurar —dijo—, una inclinación que la naturaleza, como buena madre, ha puesto con acierto en el hombre; porque a veces esa tendencia que lo guía, irresistible, tiene resultados que la inteligencia y la razón no pueden lograr. Si la inquietud no incitara al hombre con gran atracción, ¿hubiéramos conocido la admirable belleza de las relaciones que unen a todos los seres? Primero se siente atraída por la novedad; después busca lo útil con vehemencia; para terminar aspira a lo bello y a lo bueno por antonomasia. Esa ligereza que usted reprueba es la compañera de su mocedad; ocultándole los peligros del camino, se apresta a borrar sus huellas una vez pasado el mal.

La impaciente hostelera le interrumpió y dijo con dulzura:

—Tengan la bondad de contarnos lo que han visto, pues eso es lo que ahora nos interesa.

—¡Ah! —exclamó el boticario—. Después de lo que acabo de ver, no me han quedado ganas de reír. ¿Quién podría contar la gran multitud de infortunios de los que hemos sido testigos? A pesar del gentío y confusión por los ribazos y la carretera, vimos demasiado bien a esos desdichados. Encontramos muchos fugitivos y carros, en total tropel, y en ellos aprendimos que la huida es dolorosa, no obstante se tiene un dulce sentimiento al poder salvar la vida.

¡Qué confusión de muebles y utensilios, cargados y atados en toda clase de vehículos! En el desorden de la escapada, el armario cae sobre la manta; el espejo, sobre la cama; las maletas, sobre los cestos; y como nosotros lo sufrimos hace 20 años, cuando el incendio consumió el pueblo, al hombre le quita el peligro la conciencia de lo que hace. Se salvan los objetos que no sirven y se abandonan los más útiles. De la misma forma habían acumulado esos desgraciados en sus carretas diversidad de enseres y objetos sin valor: tablas, jaulas... arrastrándose con tristeza mujeres y niños con paquetes y envoltorios que no podría asegurarse fueran necesarios, ¡pues causa tanta pena perder el más pequeño objeto que tenemos! Caminaban sin orden y confundidos en el polvo que levantaban en la carretera. Quien moderaba el paso de las fatigadas bestias; hostigaba las suyas, por el contrario.

De aquella multitud se alzaban ruidos ensordecedores; gritaban niños y mujeres; balaba el ganado merino; mugían las vacas; ladraban los perros. Los viejos y enfermos gemían al sentir oscilar sus lechos en lo alto de los carros; de pronto se sale del eje la rueda de una carreta y los que iban en ella lanzados claman su honor; por fortuna, las cajas y paquetes arrastrados en la caída quedaron cerca y las personas más lejos, de otra manera hubieran acabado aplastados. Pero los desgraciados allá quedaron sin amparo. Los auxiliamos y entre ellos vimos enfermos sofocados por el polvo y con exhalaciones de angustia. Los demás pasaban aprisa, arrastrados por el torrente de la multitud y sin cuidarse más que de sí mismos.

Con vívida conmoción, dijo el hostero:

—¡Quiera Dios que mi hijo Herman los haya encontrado, socorrido y vestido! No quisiera atestiguar semejante escena, porque ver una desgracia me hace sufrir. Sólo la primera noticia que tuve de tan grandes trabajos me conmovió al grado de enviar de inmediato a esos desgraciados algo de lo que nos sobra. Mas no nos dejemos llevar por estos pensamientos de tristeza. El temor y el cuidado, que encuentro más odiosos que el mal mismo, se apoderan con facilidad del corazón del hombre. Entremos a la sala que está más fresca; a ella no ha dado nunca el sol, ni el cálido aire ha traspasado sus sólidos muros; y tú, mujercita mía, tráenos un frasco de vino añejo para quitar la melancolía. No resulta cómodo beber aquí por las moscas, que zumban cerca de los vasos.

Entraron ahí y la esposa trajo con gran cuidado, en una bandeja de estaño, redonda y brillante, un frasco lleno del maravilloso vino del Rin, y las copas destinadas a tan regio néctar.

Se sentaron los tres en una mesa redonda, encerrada, brillante y de patas firmes.

El hostelero y el pastor chocaron sus copas con alegría, mientras el boticario tenía en la mano el suyo, pensativo e inmóvil.

El hostelero le dijo, para animarle:

—Vamos, vecino, bebamos. Hasta el presente la clemencia divina nos ha evitado desastres y espero que se digne a continuar así. ¿No hemos notado todos que desde aquel horrible incendio, riguroso castigo que nos hizo padecer, nos ha dado continuamente motivos de felicidad, velando por nosotros, con el cuidado del hombre que vela por la pupila de sus ojos? ¿Nos negará acaso en adelante su socorro y resguardo? En el peligro se empieza a conocer su poder. ¿Querría acaso destruir de nuevo este floreciente pueblo que ha colmado de bendiciones y ha levantado de sus restos por medio de nuestras manos?

—Persevere en estos sentimientos —repuso el digno pastor con dulce y calmada voz—; esa confianza proporciona al hombre la calma en medio de la felicidad, le ofrece el más firme consuelo en la desgracia y nutre la más halagüeña esperanza.

A esto añadió el hostelero, como hombre firme y sensato.

—¡Cuántas veces, de regreso de un viaje, he saludado con admiración las ondas del Rin! Siempre me parecía grande e inspiraba en mí ideas y sentimientos altos, pero nunca pasó por mi cabeza que pronto habría de servirnos su risueña orilla de baluarte y su ancho lecho, de infranqueable foso contra los franceses. De esta forma la naturaleza secunda a los valientes alemanes que nos defienden y así es cómo nos protege el Señor. ¿Quién se dejará llevar por el abatimiento? Los combatientes están fatigados y todo hace pensar que se fragua la paz. ¡Ojalá cuando se celebre en nuestra iglesia fiesta tan esperada, con *Te Deum* y acompañamiento de campanas, órganos y trompetas, mi hijo Herman se decida a dar a nuestro digno pastor la novia que deba conducir al altar y que esa solemnidad que creará el reposo a nuestro país pueda ser para mí en el futuro el aniversario de una alegría local! Pero veo con pena que el mozo, tan activo y celoso a nuestro parecer, es fuera de casa tímido y callado, evita la compañía de los jóvenes y el baile, tan grato para las personas de su edad.

Al hablar, prestaba atención al ruido cada vez más cercano del trote de unos caballos y del rodar de un coche que se escuchó y que entró en el portal con el ruido del trueno.

II

Terpsícore

Herman

Tan pronto como el joven Herman entró en la sala, el pastor lo miró de manera penetrante y en consideración de sus facciones y ademanes, le dijo con una grata sonrisa:

— ¡Hola! ¡Qué cambiado está! Nunca lo he visto tan animado ni vivaz, ni tan alegre y satisfecho. ¡Se nota que recién socorrió a personas en desgracia y recogió sus bendiciones!

— Ignoro si mi conducta sea digna de alabanzas —respondió tranquilo el joven—; mas he seguido las inspiraciones de mi corazón. Miren ustedes lo que ha sucedido. Madre, empleaste mucho tiempo en revisar los armarios para elegir ropa blanca y vestidos usados. Era ya tardé cuando terminaste el paquete. En preparar el vino y la cerveza se consumió también mucho tiempo. Así es que cuando por fin pude salir del pueblo y llegar a la carretera, encontré a los grupos de curiosos que regresaban y me dijeron que las víctimas ya iban lejos. Hice que mis caballos aligeraran el paso y me dirigí a la aldea, donde según mis noticias los fugitivos planeaban pernoctar. Seguía mi camino por la calzada nueva cuando vi un carro, construido con fuertes tablas y jalado por dos bueyes extranjeros, corpulentos como los más. Junto al carro caminaba una joven, que con un largo aguijón dirigía a los dos animales. Cuando ésta me vio, se acercó con tranquilidad a mis caballos y me dijo: "No crea que hemos estado siempre en esta triste condición en la que ahora nos encuentra, obligados a vagar por los caminos. No estoy acostumbrada a implorar la piedad de los extraños para obtener una limosna, que suele darse sin más interés que quitarse de encima al pobre limosnero. Ahí está tendida sobre la paja la esposa de un hombre que vivió en la opulencia; acaba de tener a un bebé. Cuando la coloqué en la carreta estaba cerca de dar a luz y he podido salvarla con ayuda de estas yuntas. Llegamos más tarde que los demás fugitivos; la madre no tiene más que soplo de vida y lleva al recién nacido desnudo en sus brazos.

"Nuestros compañeros de desgracia no nos pueden ayudar mucho, incluso en el caso de que los encontremos en la aldea cercana, pues temo mucho que no se detengan. Si es usted de estos lugares y dispone de alguna prenda de lienzo de la que pueda prescindir, tenga a bien darla a unos desgraciados". Esas fueron sus palabras y la parturienta, pálida, desfallecida, esforzándose para levantarse, me miraba atenta. "No dudo, dije, que una inteligencia celestial habla a menudo al corazón de las personas sensibles para decirles las penas de sus hermanos, porque mi madre, como si adivinara su desamparo, me ha dado un paquete que me permite auxiliar su desnudez". Desatando enseguida el paquete, le di la bata de mi padre, las camisas y las mantas. En medio de su alegría me daba las gracias: "El hombre feliz no cree en los milagros; sólo en la desgracia se aprende que el dedo de Dios dirige las buenas acciones. ¡Ojalá reciba de sus manos todo el bien que nos hace!" La pobre mujer palpaba con gozo las prendas de lienzo y en especial la suave bayeta de la bata. "Démonos prisa, dijo la joven, para llegar al pueblo, donde ya descansan nuestros compañeros; ahí prepararé las ropas del niño y todo lo que necesite".

Dándome las gracias una vez más, aguijó a los bueyes y la carreta empezó a moverse. Yo mientras estaba perplejo, sin saber si llegar hasta la aldea para entregar los alimentos a otros desdichados o entregarlo todo a la joven para que ella lo distribuyera. Al fin me decidí, la alcancé y le dije: "Honrada joven, mi madre me ha entregado también alimentos y bebidas. Voy a ponerlos en sus manos para que los distribuya con más conocimiento que yo. De este modo creo cumplir mejor la encomienda de mi madre". Ella respondió: "Distribuiré esos dones entre los más necesitados. ¡Cómo gozarán los que la necesidad apremia!" Dicho esto abrí cajas y paquetes, saqué jamones, pan, botellas de cerveza y vino; se lo entregué todo y hubiera querido darle más, pero las cajas estaban vacías. Colocó ella todo ante la enferma y se alejó, mientras yo regresaba al pueblo con paso veloz.

Tan pronto como Herman calló, el vecino, siempre ávido de plática, exclamó:

—¡Oh! ¡Feliz aquel que en los días de huida y desgracia no ve temblar entre sus brazos a la mujer y los hijos! Ahora es cuando doy gracias a mi destino. Por todo el oro del mundo no querría en estos tiempos ser padre ni esposo. Ya he pensado en la necesidad de huir un día, quizá no lejano, y tengo reunidos los objetos de valor y las joyas. En verdad sería necesario sacrificar muchas otras cosas difíciles de encontrar; así, abandonaría con pesar todas esas plantas y raíces que con tanto trabajo he recogido, aunque su valor sea menor. Por lo menos, si mi ayudante se quedara en la casa, me consolaría de dejarlas. En cuanto a mí, un soltero tiene alas, si quiere volar.

—Vecino —repuso el joven Herman enérgico—; estoy muy lejos de pensar así y su opinión me parece censurable. ¿Merece estimación un hombre que en la felicidad o en la desgracia sólo piensa en sí mismo y no sabe compartir con nadie sus trabajos o sus alegrías? Si me he de casar alguna vez, lo haría hoy, pues muchas mujeres honradas tienen necesidad de un marido que las cuide y el hombre debe desear que la mujer disipe sus temores cuando le amenaza una desgracia.

—Eso es hablar bien —dijo su padre sonriendo—; nunca te he oído opinión más sensata.

—Hijo mío, tienes razón —dijo con vivacidad la buena madre—; y nosotros te hemos dado el ejemplo. Tu padre y yo no concertamos nuestra unión en días felices, sino en condiciones muy duras. Recuerdo bien que fue un lunes por la mañana, hará de esto 20 años. El día anterior, domingo como hoy, había iniciado aquel terrible incendio que destruyó todo el pueblo. Era una época seca y calurosa; faltó agua; los vecinos, vestidos de fiesta, se habían esparcido por las aldeas y por los molinos. Empezó el fuego en una orilla del poblado y por las corrientes de aire que levantaron las llamas, se extendió con gran velocidad. Ardieron las granjas y las cosechas, se quemaron las casas hasta el mercado y la de mi padre, que limitaba con éste, fue pasto de llamas. Pudimos salvar muy poco. Recuerdo que pasé aquella noche tan triste sentada en la hierba, en campo abierto, cuidando los armarios y las camas que pudimos robar al fuego; el sueño me derrotó y me despertó el frío de la madrugada. Cuando vi el humo, todo se había consumido; no quedaban más que las paredes y las chimeneas. Entonces sentí que se oprimía mi corazón, pero volvió a salir el sol, con más brillo que nunca y recuperó ánimos mi espíritu. Me levanté de inmediato. Noté que nacía en mí el deseo de ver el lugar que tenía nuestro hogar, de saber si mis gallinas favoritas habían sobrevivido porque aún privaban en mi alma las inclinaciones infantiles. Subí por las ruinas humeantes de la casa y del patio, y veía aquella vivienda desierta y reducida a cenizas cuando tú, que eres hoy mi esposo, subiendo por el lado opuesto, apareciste ante mí. Tu mirada escrutadora recorría el espacio para descubrir a uno de tus caballos, que estando en la cuadra había sido alcanzado por unas vigas encendidas y yacía entre los escombros. Nos quedamos uno junto al otro, pensativos, llenos de tristeza: el muro que antes separaba los patios de nuestras casas estaba quemado. Me tomaste la mano y dijiste: "Isabel, ¿por qué has venido aquí? Vete pronto, no vayan a quemarse las suelas de tus zapatos; los escombros arden y penetran mi calzado". Luego me tomaste en tus brazos y me trajiste aquí, por el patio de tu casa. No quedaba de ella más que esta puerta con su bóveda, tal como hoy luce. Me sentaste en este banco y me abrazaste; yo me resistía, pero me dijiste con seriedad estas dulces palabras: "mira, la casa está destruida; no me dejes, ayúdame a levantarla y yo ayudaré a tu padre a hacer lo propio con la suya". No entendí entonces tu intención, mas no demoraste en enviar a tu madre a mi casa con el encargo de pedir mi mano y así se fijó el feliz matrimonio que hoy nos une. Me acuerdo con placer de aquellas vigas a medio quemar y me parece ver cómo el sol iluminaba la escena. Aquel día Dios me dio un esposo y en los primeros años nació mi hijo. Ahí tienes, Herman, por qué no puedo menos que admirar tu pensamiento de buscar, en estos días difíciles, una compañera y de buscarla en medio de los estragos de una cruel guerra

— El pensamiento de nuestro hijo es loable, — replicó el padre con energía —, y tu relación es exacta, pero el principio de todas las cosas es arduo, y sobre todo el inicio de un hogar. El hombre tiene muchas necesidades y la vida se pone cada día más cara; hay que procurar tener dinero, mucho, para no padecer carencias. ¡Feliz aquel a quien sus padres heredan una casa ya formada, pues sólo le toca embellecerla! Así, querido Herman, espero verte pronto traer a casa una esposa rica; un joven como tú merece una joven bien dotada y cree que no hay dicha como la de ver entrar, junto con la mujer amada, cestos y arcas repletas. ¿Por qué la madre se empeñan en preparar para su hija un ajuar abundante de ropa blanca, de tela fina y fuerte? ¿Por qué regalan los padrinos hermosos cubiertos de plata? ¿Para qué reservan los padres cautelosos algunas piezas de oro, de las que llaman la atención por extrañas? Pues es muy simple. Todo tiene el fin de que la novia agasaje con sus bienes y regalos al joven que la ha elegido entre sus compañeras.

Estoy convencido de que no hay dicha mayor para una mujer que estar en una casa donde en todas partes, en la habitación o en la sala, en el comedor o en la cocina, reconoce sus propios muebles y ve cubierta la mesa y las camas con la lencería que trajo al matrimonio. No quiero nuera que no venga bien provista; porque la mujer pobre termina por ser menospreciada por su marido, el que acaba por mirar como a una sirvienta a la que llegó a su casa como entran las criadas, con un juego de ropa y nada más. De manera, hijo, que harás feliz mi vejez si me presentas pronto una nuera elegida en nuestra vecindad, por ejemplo la joven de la casa verde. El padre tiene mucho dinero, que crece día con día, y tres hijas que son sus únicas herederas. La primera ya está casada, pero las otras dos están libre, y si fuera tú, ya hubiera elegido a una. De modo que pon atención.

—Mis designios eran... —respondió el hijo sobre los apremiantes deseos de su padre—, escoger a una de las hijas de nuestro vecino. Nos hemos criado juntos y juntos fuimos a la escuela; hemos compartido juegos y me acuerdo que a menudo las defendía de otros muchachos; pero esos tiempos se han ido. Han crecido y ahora son juiciosas. No dudo que también tengan buena educación. Cierto día, recordando nuestra amistad de la niñez y por complacerte, padre, fui a verlas; mas no hallé su trato agradable; siempre encontraban en mí algo que reprobar. Para ellas, mi levita era muy larga; el paño, grosero; y el color, vulgar; o mi cabello estaba mal cortado y rizado. Tuve entonces la idea de arreglarme como los dependientes del comercio que acuden a su casa los domingos, pero noté que mi condición no mejoraba; sus burlas lastimaron mi orgullo y lo que más sentí fue que no supieran del cariño que les tenía, sobre todo Mineta, la más pequeña. Arrastrado por este deseo, fue a casa la última fiesta de Pascua y me puse el traje nuevo que tengo en el armario, hice que me rizaran el pelo como a los otros jóvenes. Al llegar se empezaron a reír, pero no creí que fuera de mí. Mineta estaba sentada en el clavicordio y su padre la oía con atención. La letra de la canción era casi incomprensible para mí; sólo percibía los nombres de Pamina y Tamino; pero no quise quedarme callado y pedí que me dijeran el tema de la canción y quiénes eran los dos personajes. Todos callaban y reían, hasta que el padre me dijo: "¿No es verdad, muchacho, que sólo conoces a Adán y Eva?" Entonces echaron carcajadas. Trastornado, dejé caer mi sombrero y esto hizo aumentar las risas. Lleno de pesar y de vergüenza, regresé a casa, me desvestí, desricé mi cabello y juré no volver a casa de esas damas. Hice bien, porque son vanidosas e incapaces de amar. He sabido que desde ese día sólo me llaman *Tamino*.

—Herman —dijo la madre—, haces mal en incomodarte con esas niñas, pues no merecen otro nombre. Mineta es buena y siempre te ha tenido aprecio. No hace mucho me preguntó por ti. Deberías bien en buscarla.

—No sé —respondió él pensativo—, mas sentí tanto la burla, que creo que no podría verla sentada al clavicordio y oír sus melodías.

Entonces el padre, molesto, dejó salir su enojo de la siguiente manera:

—No me des más disgustos. Siempre he dicho, al verte, que pareces un criado de labrador rico; sólo te complace ver caballos y conducir el coche. Así me veo abandonado por un hijo que podría ser mi honor distinguiéndose entre sus conocidos, como otros jóvenes de su clase. Tu madre, desde tu infancia, me hacía tener ilusorias esperanzas, aunque en la escuela nunca lograbas leer y escribir como los demás, y por eso eras siempre el último de la clase. Esto es lo que pasa cuando no existen estímulo ni aspiración. Si mi padre hubiera cuidado de mi educación como yo de la tuya, seguro no sería hoy el humilde hostelero del *León de Oro*.

El muchacho se levantó, se acercó a la puerta sin hacer ruido, pero hasta ahí le siguieron las palabras del iracundo padre.

—Vete, ya sé lo necio que eres, pero procura comportarte de manera que no merezcas mis regaños. Sobre todo, no pienses en traer a mi casa una nuera aldeana y humilde. He vivido demasiado y sé comportarme con todo el mundo. Por eso recibo y agasajo a los forasteros que vienen a mi casa, para que no olviden el camino; y es hora ya de recibir premio a mis trabajos con una nuera que me llene de atenciones y cuidados; aspira a que esté bien educada y toque el clavicordio para mi disfrute, y a que las personas más amables y distinguidas del pueblo se reúnan con gusto en mi hogar, como lo hacen el domingo en la de los vecinos.

Herman, sin decir palabra alguna, abrió la puerta con suavidad y salió de la sala.

III

Talía

Los burgueses

De este modo, el hijo respetuoso sustrajo a la viva indignación del padre, que siguió en el mismo tono:

—Lo que no está en el corazón no puede salir de él. Me costará cumplir mi deseo más grande, que es que mi hijo no sólo iguale a su padre, sino que lo supere. Porque, ¿quieren

decirme ustedes qué sería de la familia, del municipio y de
la ciudad si no aspiráramos a conservar lo que tenemos, a
mejorarlo y a embellecerlo por las nuevas necesidades del
momento y los ejemplos de otras naciones? Un hombre no
debe parecerse a un hongo, que casi al salir de la tierra se
pudre en el mismo lugar sin dejar señales de su vida y de su
fuerza. Basta ver una casa para formar idea de su dueño,
igual que basta entrar en una ciudad para juzgar a sus go-
bernantes. Allá donde los muros y los baluartes caen en
escombros o la inmundicia se acumula en calles y plazas;
donde el ladrillo que se cae no vuelve a reponerse y el edifi-
cio que amenaza con caerse espera en vano los puntales,
puede decirse con seguridad que la administración no es
buena. Cuando la autoridad superior no cuida el orden y la
higiene, el ciudadano se acostumbra a la suciedad, como el
mendigo a sus ropas rotas. Por eso quiero que Herman viaje y vea, al menos, Estrasburgo, Francfort y esa hermosa
ciudad de Manheim, construida con gran precisión y ele-
gancia. El que ha estado en ciudades limpias y grandes no
reposa hasta que embellece la suya, aunque sea pequeña.
¿No alaban los forasteros nuestra monumental puerta, nuestra torre y nuestra iglesia, desde que se restauraron? ¿No
halagan nuestro adoquinado y nuestros canales cubiertos,
que distribuyen el agua en abundancia para nuestro uso y
seguridad, lista en cuanto se avecina un incendio? Pues todo
esto se ha hecho después del desastre. Seis veces me ha encargado el concejo estos trabajos, recibiendo siempre las
felicitaciones de mis vecinos por la puesta en práctica de los
proyectos, que yo mismo planeé, y por la parte que me toca
en la conclusión de varias obras benéficas para el pueblo,
que estaban en duda. Mi ejemplo estimuló a los demás y se
entusiasmaron con los embellecimientos urbanos. No hay
un solo hombre en el municipio que no se esfuerce en

lograrlo, y es un hecho ya la construcción del nuevo camino que ha de unirnos con la carretera general. Pero temo que los jóvenes no sigan este ejemplo; unos sólo piensan en devaneos y otros en meterse en un rincón de su casa como gallinas cluecas, como Herman.

—Siempre eres injusto con nuestro hijo —dijo la madre—, buena y prudente; y de ese modo no verás tus deseos satisfechos. Nosotros no podemos formar a los hijos según capricho; debemos aceptarlos tal cual Dios nos los da, quererlos y educarlos sin dañar su naturaleza. Cada uno ha recibido un don y sólo puede ser feliz a su manera. No me gusta que discutas con Herman; sé que es digno de los bienes que le corresponderán un día, que cuida nuestra hacienda con perspicacia y economía, que es modelo de nuestros labradores y convecinos, y creo con certeza que no ha de ocupar el último puesto en el concejo del municipio; pero si insistes en regañarlo y reprobar su comportamiento a diario, desanimarás al pobre muchacho.

Dicho lo anterior, salió en busca de su hijo, impaciente, para mitigar su pena y consolarlo con afecto, lo que bien merecía. Tan pronto salió, dijo el padre con una sonrisa:

—¡Singulares son sin duda los niños y las mujeres! Tan sólo quieren vivir a su antojo y quien adelante no mira, atrás se queda!

—Me parece muy bien, vecino —dijo el boticario—; tan es así, que siempre estoy mirando a ver lo que puede mejorar mi condición. Pero cuando uno quiere embellecer su casa y no tiene los medios, no hay voluntad que baste. Los ciudadanos tenemos más voluntad que medios; el bolsillo es muy chico y las necesidades, muy grandes. ¡Cuántas cosas me había gustado hacer…! ¿Pero qué hacer ante los gastos necesarios para realizar cualquier proyecto, sobre todo en tiempos como el que vivimos? Hace tiempo que tengo la intención de introducir reformas en mi casa y a veces hasta imagino ver mis balcones decorados con grandes vidrieras. ¿Pero puedo compararme con el rico comerciante que tiene los medios para darse lo mejor y más bello? Vean, si no, la casa de enfrente. ¡Cómo lucen los adornos blancos sobre el fondo verde! ¡Qué amplios balcones y cómo contrastan sus vidrieras reflejantes con las de otras casas! No obstante, antes del incendio, las casas mejores eran las nuestras. Se hablaba de la farmacia *El Ángel* y la hostería *El León de Oro*. Mi jardín, sobre todo, era admiración de la comarca y de los visitantes, así como las pinturas de mi sala; y hoy no hay quien se fije en ellas.

Cuando invitaba a algún amigo a tomar café en mi gruta, tan encantadora en otras épocas y hoy en ruinas, admiraba el brillo de sus nácares con sus juegos de luces naturales; los conocedores se admiraban de la viveza del púrpura del coral. En el comedor se extasiaban ante un cuadro que representaba a unos caballeros y una damas en traje de fiesta, que pasean por un jardín y llevan y ofrecen ramitos de flores con sus dedos.

¿Quién recuerda hoy esa gruta? Apenas si voy yo por ahí, con mi eterno pesar, entiendo que debería ser de nuevo lo que fue y en su antiguo estilo, con bancos sencillos, sin oropel ni repujado; mas sólo parece buena la madera importada, que es la más cara. También me gustaría tener, como otros, algunos objetos al gusto nuevo y marchar al ritmo de mi siglo; pero temo ir muy lejos si empiezo a remover las cosas, porque de inmediato viene el conflicto y ¿quién se atreve a renovar los muebles o a cambiar algo si hay que pagar a los obreros un dineral? No hace mucho quise dorar mi muestra que, como saben, tiene al arcángel San Miguel con un dragón en los pies, y me dieron un precio tan exagerado que decidí no tocarla.

IV

Euterpe

La madre y el hijo

Así hablaban los tres vecinos, mientras la madre fue en busca de su hijo frente a la casa, en el banco de piedra donde solía sentarse. No lo encontró y fue a la cuadra a ver si estaba cuidando los caballos, labor que nunca confiaba a extraños. El criado le informó que su joven amo había ido a la huerta; con paso veloz cruzó los dos amplios patios, pasó frente a los establos y los firmes edificios de las granjas, y entró en la huerta que se extendía hasta los muros del pueblo; de camino veía con alegría los progresos de cada planta, enderezaba las estacas que sostenían las ramas de manzanos y perales, llenos de fruta, y quitaba los gusanos de las coles rechonchas y macizas; porque una mujer dedicada no da nunca un paso sin utilidad.

Llego así al final de la huerta, hasta el túnel de madreselva, sin hallar a su hijo; pero vio que estaba emparejado el portillo de su finca, practicado en el muro por gracia especial de un venerable burgomaestre, abuelo de la madre de Herman. Salió de la huerta y rodeó sin problema el foso seco. Al otro lado y junto a la carretera empezaba el precioso viñedo, cuya rápida pendiente estaba frente al sol. Subió por el sendero y vio alegre la abundancia de uvas que apenas podrían cubrir las hojas. El camino central estaba sombreado por un tupido emparrado; en el suelo toscas piedras hacían de escalones; por todos lados colgaban racimos de albillo y de moscatel, mezclados con uvas de un hermoso azul rojizo y de rara magnitud: frutas de primera calidad,

destinadas a ser postre de los extranjeros. El resto del riba-
zo estaba cubierto de cepas aisladas con unas más pequeñas
de las que producen un vino excelente. La buena madre siguió hacia arriba, con regocijo por las siguientes vendimias
y de las fiestas que con este motivo tenían lugar en la comarca, cuando los campesinos recogían y pisaban la uva,
cuyo zumo de azúcar llenaba los toneles y cuando después,
por la noche, se celebraba con vivos fuegos artificiales la
más hermosa de todas las recolecciones.

Pero pronto sucedieron a estas risueñas imágenes nuevas inquietudes, porque la cariñosa madre llamó dos o tres
veces a Herman y sólo obtuvo respuesta del eco. ¡Le parecía
tan extraño tener que buscar a Herman! El joven nunca se
separaba de su lado sin decir adiós, para que no estuviera
intranquila, si notaba su ausencia; no perdió, sin embargo, la esperanza de hallarlo, pues las entradas del viñedo,
por arriba y por abajo, estaban abiertas.

Avanzó por el amplio campo que se dilataba detrás de
la colina; seguía caminando sus dominios y su mirada se
fijaba complacida en los trigos, mecidos por el viento y cargados de espiras doradas y gruesas; siguió por el sendero,
abierto al borde de las mieses, con los ojos fijos en el ancho
peral que se levantaba en lo alto de la colina y que era
límite de sus posesiones; no se sabía quién lo había plantado; desde lejos se distinguía y sus frutos eran muy
apreciados en la región. Al pie de este árbol, al mediodía,
los segadores comían alegres y los pastores buscaban sombra sentados en rústicos bancos de piedra y césped.

No se había engañado la bondadosa madre; ahí estaba
sentado su hijo, con la cabeza apoyada sobre la mano y la
vista perdida en los lejanos montes que limitaban la comarca. Se deslizó con suavidad y le dio un golpecito en el
hombro; el joven volteó; tenía los ojos cubiertos de llanto.

—Madre —exclamó—. ¡Qué sorpresa!

Trató entonces de limpiar sus lágrimas.

—¿Qué es eso, hijo mío? ¿Lloras? ¡No te conozco! Nunca te había visto llorar. ¿Dime por qué has buscado la soledad de este árbol y cuál es el motivo de tu llanto?

El joven, tratando de superar su aflicción, respondió:

—En verdad, para presenciar insensible la miseria humana y el desamparo de los fugitivos, sería necesario no tener corazón; habría que tener un cerebro vacío para no pensar en nuestra propia situación y la suerte de nuestro país en días de tristeza tal. Lo que he visto y oído hoy, me ha lacerado el alma. Salí de casa y miré estas vastas y fértiles llanuras rodeadas de colinas; admiré las doradas espigas y los abundantes frutos que pronto llenarán nuestros graneros; ¡y ay, también he pensado en que el enemigo está cerca! En efecto las ondas del Rin nos protegen; ¿pero qué pueden ellas y las montañas contra el impetuoso alud de ese pueblo que se aproxima y lanza sobre nosotros a todos sus hijos, jóvenes y viejos? Detrás de esa multitud viene otra. ¿Qué alemán puede permanecer en su casa esperando escapar del desastre que nos embiste? Confieso, madre, que me duele haber sido rechazado del contingente militar que se alista. Es correcto que soy hijo único, con amplia hacienda que atender; ¿pero no estaría mejor combatiendo en las fronteras en vez de esperar aquí la miseria y la servidumbre? Siento una voz celestial que me inspira en el fondo de mi alma un ardiente deseo de entregarme a mi país y morir por él si es preciso, para poner el ejemplo. ¡Si toda la juventud de Alemania se levantara en la frontera, resuelta a no retroceder un paso ante el extranjero invasor, vería cómo no pisaba con su planta nuestros territorios, ni arrebataba en nuestros ojos los frutos de nuestra tierra! ¡No hablaría como amo a los hombres ni se llevaría a las mujeres y a los niños! Madre, debes saber que me voy a la ciudad para alistarme; no volveré a casa, ofreceré mi corazón y mis brazos a la patria. ¡Así sabrá mi padre si soy o no capaz de ambición y aspiración elevadas!

La buena madre, con lágrimas en los ojos, dijo con gran expresión.

—Hijo mío, ¿qué te ha cambiado hasta este punto? No hablas ya a tu madre como lo hacías, como ayer, con libertad y franqueza. Algo me ocultas. Otra cualquiera que no fuera yo se dejaría engañar, seducida por la energía de tus palabras; te elogiaría y te animaría en tus desinteresados fines; pero yo te conozco mejor y sé que algo escondes. No te atrae el clarín guerrero ni el deseo de exhibirte ante las mujeres con un brillante uniforme, pues aunque eres valiente, tu vocación no son las armas. Dime con sinceridad qué te lleva a tal decisión.

—Te engañas, madre —dijo con seriedad—. Los días cambian; el adolescente se vuelve hombre y esa madurez, que trae los grandes sucesos, es más precoz en medio de una vida arreglada y apacible que en el tumulto que pierde a muchos jóvenes. La paz en que me he criado, ha preparado mi alma: odio al injusto y al tirano, aprecio bien lo que pasa en el mundo y mi cuerpo se ha fortalecido con el trabajo. Todo esto lo digo tal como lo siento. Sin embargo, tiene razón en censurarme, pues no le he dicho más que una verdad a medias. Confieso que no me mueve a dejar nuestro hogar el generoso pensamiento de proteger la patria. Mis palabras tenían el propósito de cubrir los sentimientos que despedazan mi corazón. ¡Oh, madre mía! Puesto que los votos de mi corazón son estériles, déjeme sacrificar mi vida sin objeto, pues sé que si todos llegan al mismo fin, se corre una segunda perdición.

—Sigue hijo, dime todo lo que sientes —dijo la madre, que le entendía a la perfección. Confía en mí. Los hombres son violentos y con los obstáculos se exasperan, mas la mujer siempre encuentra medios y rodeos para lograr el objetivo. ¿Por qué te veo tan agitado, como nunca en tu vida? ¿Por qué te nublan los ojos las lágrimas? Cuéntamelo todo.

El pobre Herman, tras estas palabras, se entregó sin violencia a su pesar y desahogó su corazón entre sollozos en el pecho de su madre, y dijo con amargura cuando se repuso.

—Los reproches de mi padre me han penetrado hasta el alma, porque nunca los he merecido. Siempre fue mi mayor placer honrar a mis padres. Nadie me ha parecido ni más bondadoso ni más sabio que aquellos a quienes debo la vida y de quienes he tenido las iniciaciones en el difícil camino de la vida. De niño toleraba muchas veces las bromas y malicias de mis camaradas hacia mí; a menudo me tiraban piedras y me pegaban, sin que nunca tratara de tomar venganza; trataban de burlarse de mi padre porque el domingo, al salir de la iglesia, caminaba muy tieso y su gorro producía gracia o las flores de su bata eran ridículas, y caía sobre ellos, ciego de rabia, y a puñetazos, patadas y mordidas castigaba su insolencia. Cuando se me escapaban, sus narices chorreaban sangre y quedaban adoloridos y llenos de quejas. A pesar de este filial respeto, era yo siempre la víctima de los disgustos de mi padre, que me abrumaba con injurias cuando en el ayuntamiento o en cualquier parte le hacían enojar; yo cargaba con las frases que no se atrevía a proferir a los demás y así he sido la víctima de las mortificaciones que le causaban sus colegas. Tú misma, recuerda, madre mía, me has reprendido más de una vez. Sin embargo, las injusticias soportadas no han alterado los sentimientos de respeto que por los padres debemos sentir los hijos; ellos se ocupan de aumentar nuestro bienestar y fortuna, y se someten a mil privaciones para que gocemos los frutos de sus ahorros. ¡Pero, ¡ay!, ni los ahorros, por grandes que sean, ni la posesión de los bienes acumulados céntimo a céntimo, ni las tierras agregadas a otras tierras, pueden prolongar nuestra dicha, por mucho atractivo que tengan esas posesiones. Padres e hijos envejecen, ajenos a los goces del momento, por los temores del futuro. Esas fructuosas campiñas que desde aquí dominamos, esas viñas, esas huertas escalonadas, esas alquerías donde tantos tesoros se apilan, son una serie de bienes invaluables; pero cuando miro hacia atrás el tejado de casa, sobre el que veo la ventana de mi cuarto, el pasado regresa a mí y pienso cuantas veces invoqué desde ahí los rayos de la luna; y por el día, las veces que invoqué a los rayos del sol. Hoy me hallo más aislado que nunca. ¡Qué me importan los campos, las viñas, las huertas, los graneros y los establos, si todo está desierto ante mí, pues me falta una compañera!

—¡Oh, hijo mío! —dijo la madre con bondad y prudencia—. Si deseas traer a tu casa una esposa, para que la noche te sea una mitad deliciosa de la vida y que el día esté animado por una labor más útil y agradable, tus padres no lo desean con menor viveza. Bien sabes que siempre te hemos aconsejado e impulsado a elegir esposa. Sin embargo, el corazón me dice que mientras no lleguen la hora y la persona que se debe amar, la elección está en suspenso por el temor de errar y conceder el cariño sin que sea merecido. ¿Y tengo que decírtelo? Creo que tú ya has elegido, ¿no es verdad, hijo mío? Hoy te he visto más conmovido que nunca. Confiesa, pues, lo que mi corazón ha adivinado: amas a esa joven fugitiva y es la elegida de tu corazón.

—¡Sí, madre mía —dijo Herman vehemente—, ella es! Considere mi sufrimiento, pues si hoy no entra en nuestra casa, si llega a irse y desaparecer, arrastrada por las violentas guerras y los azares de la huida, todo estará de más para mí y ni la ternura de una madre me podrá dar consuelo. Inútiles serán los ricos dominios que rebosan tesoros y las promesas de acrecentarlos cada año, porque presiento que el amor afloja los vínculos más sagrados. No es sólo la mujer la que deja a su padre y a su madre para seguir al esposo, sino también el hombre para estar con la esposa. Se olvidan, ¡ay!, hasta los padres, cuando al hijo se le acosa para que deje a la que ama con todo el corazón. Déjeme, pues, seguir el camino al que me lleva mi desesperación, pues mi padre ha pronunciado mi sentencia; su casa no es la mía, desde el momento que rechaza a la elegida de mi corazón.

—¿Dos hombres que abrigan sentimientos opuestos deben ser insensibles e inquebrantables como las piedras? Cada uno se queda en su lugar, fiero e indomable; ninguno quiere ceder ni parar las hostilidades con palabras de consuelo. No debes perder la esperanza, hijo de mi amor, de que tu padre permita que te unas en matrimonio con esa joven, mientras sea buena y honrada; a pesar del modo con que habló de los pobres, olvidará su pobreza. Ha tenido arrebatos como ése muchas veces, pero sin sostenerlos después. Lo que primero negó lo ha concedido más tarde. Pero tiene derecho a que le hables con dulzura y respeto. No ignoras que después de comer, si acaso se enoja, habla con vivacidad y rechaza los razonamientos de los otros; pero esa exaltación no dura mucho y acaba por pesarle. El vino exacerba su vehemencia y no le permite elegir las expresiones; no piensa más que en oírse a sí mismo y afirmarse en sus propias ideas; pero a medida que llega la noche y sus amigos dejan de contradecirlo, se dulcifica y toma conciencia de la injusticia que ha cometido. Ven y hagamos el intento cuanto antes; el que no arriesga con valor no puede triunfar en su intento. Además, ahora está con sus amigos y la ayuda de ellos, sobre todo del pastor, puede ser de mucha utilidad para nosotros.

Dicho esto con el mayor ánimo, se levantó de la piedra, hizo levantar a Herman, que aceptó seguirla, y ambos emprendieron el camino en silencio, pensando en el proyecto del que dependía la felicidad familiar.

V

Polimnia

Los fugitivos

El pastor, el boticario y el hostelero seguían platicando; el tema, visto y revisado desde cualquier ángulo, era el mismo siempre.

—No es mi intención contradecirlos —dijo el pastor—, por su espíritu de concordia. Estoy de acuerdo en que el hombre debe tratar de mejorar su suerte; y si aspira a alzarse y busca lo nuevo, nada mejor, seguramente; pero para todo hay límites; también lo antiguo tiene atractivos y un viejo hábito puede volverse un placer. En realidad, todas las situaciones son buenas si son naturales y razonables. El hombre tiene mucho más deseos que necesidades reales, pero la vida es corta y sus horizontes son cortos. No repruebo al que sin descanso recorre ardoroso y audaz la tierra para acumular riquezas, pero también profeso gran estimación al hombre apacible que no deja el techo paterno y piensa únicamente en cultivar su campo, sin más ocupación que lo útil. Su hacienda no cambia de aspecto año con año, el árbol que plantó tarda en vestirse de tupido follaje. Ese hombre necesita ser paciente, tener tranquilidad y un juicio recto; pues confía al seno fértil de la tierra pocas semillas a la vez, no cría más que poco ganado, con la casi única preocupación de sacar el producto más seguro a sus esfuerzos.

Todos debemos nuestro sustento a este tipo de hombre. Por eso bendigo a quien la naturaleza le ha dado un carácter así. Pero no estimo en menos al habitante de la pequeña ciudad que asocia a su profesión los trabajos del campesino. Éste no se preocupa por los pesados esfuerzos del labrador encerrado en sus estrechos límites, ni sufre vagas agitaciones de esos ciudadanos que intentan asemejarse a los ricos, sin importar su escasa fortuna, como hacen sobre todo las mujeres y las hijas. Agradezca a Dios, amigo mío, por la consistente aplicación de su hijo a trabajos tranquilos y bendiga a la compañera que traiga a casa.

Acababa de concluir estas ideas cuando entró la madre con su hijo y le llevó delante de su padre.

—Esposo mío, dijo, ¡cuántas veces hemos celebrado con antelación el gran día en que nuestro Herman viniera a presentarnos a su prometida! Nuestros pensamientos, sin certeza, vagaban de un sitio a otro, deteniéndose, en ésta o en aquella otra muchacha. Ese día ha llegado y el cielo ha puesto ante su paso a la prometida de su corazón. ¿No decíamos siempre en esos momentos que sería lo que él decidiera? ¿No deseabas verlo alegre y animado por un pensamiento de amor? Su elección está hecha, decidida, como hombre de cabeza y corazón. La elegida es esa joven fugitiva con quien se topó en el camino. Si no la puedes aceptar, ha jurado que nunca se casará.

—Concédemela, padre; mi corazón no se ha equivocado al elegirla; tendrá en ella a la hija más digna.

El padre guardaba silencio y en vista de esto se levantó el pastor, tomó la palabra y dijo:

—La vida y el destino del hombre dependen de un momento y el acierto no es deliberar mucho tiempo; la decisión es cuestión de un instante y se expone uno a embotar el tacto del sentimiento al entregarse a consideraciones que sobran. El alma de Herman es pura, lo conozco desde que era un niño. Nunca lo vi, ni en sus más tiernos años, tender la mano como tantos niños, y una vez que tiene lo que cree es lo mejor, no deja ir a su presa. No hay por qué sorprenderse de que suceda de repente lo que esperaba de mucho tiempo, aunque de forma diferente a la que ustedes preveían. Con frecuencia nos engaña la apariencia del contenido de nuestros anhelos y el cielo pone su sello en los beneficios que manda. No rechace a la joven que ha sido la primera en despertar el corazón y el alma de su hijo. ¡Dichoso el que se une a su primer amor, porque entonces no corren riesgos de marchitarse los dulces sentimientos que resguardan en el fondo del corazón! Todo me anuncia que su suerte está dicha. Una inclinación verdadera convierte al adolescente en hombre. Herman es inquebrantable y temo que si rechaza su petición, desperdicie en el pesar sus mejores años.

El boticario, que desde hacía tiempo quería hablar, dijo reflexivo.

—Tomemos de la ocasión un punto medio; el emperador Augusto tenía por lema: apresúrate con lentitud. Estoy dispuesto a poner al servicio de nuestro vecino mi precario intelecto, informándome de la situación de esa joven. Juzgaré por mí mismo y además interrogaré a las personas que conoce y a cuantos estén cerca de ella. Es difícil engañarme porque sé pesar las palabras.

Oyendo esto, el hijo agregó:

—Haga lo que dice, querido vecino; tome informes, pero deseo que nuestro digno pastor lo acompañe, pues el testimonio de los dos será irrefutable. ¡Oh, padre! No tome a esa joven por una aventurera a la caza de hombres inexpertos. Es una víctima flagelada por la terrible guerra, que ya ha apilado tantas ruinas y asedia al mundo. ¿No andan errantes por esto personas muy distinguidas? Reyes y príncipes se ven forzados a huir disfrazados y a vivir en el éxodo. Ella también es una fugitiva, la más noble, la más generosa, pues olvida sus propias penas para aliviar las de sus compañeros; necesitada como está de auxilio, prodiga a los demás sus cuidados bienintencionados. Grandes sufrimientos y males se esparcen por el mundo. ¡Ojalá que de desgracia tan inmensa se abra para mí un día de felicidad! ¿No podría yo encontrar en esta joven el consuelo de la guerra actual, como tú y madre vieron nacer sus alegrías de los escombros del incendio.

Entonces el padre, al tiempo que rompió el silencio, expreso su voluntad:

—¿Cómo, hijo mío, se ha soltado tu lengua, tú que la tenías tan pegada al paladar? ¿Acaso voy a exponerme al peligro que amenaza a los padres con su familia, viendo que la madre se pone del lado del hijo y se unen los vecinos en el litigio sin reparar en los derechos del esposo y jefe? No quiero luchar contra todos juntos, pues preveo que mi negativa sólo traería obstinación y lágrimas. Vayan allá y si los informes son favorables, aceptaré a esa joven por hija; de otra forma, deberás olvidarla.

Ante estas palabras, dijo Herman con alegría:

—Antes de que termine el día tendrás la mejor hija que puede desear un padre prudente y confío que ella será tan feliz como yo. Toda la vida me agradecerá haberle dado un padre como tú y una buena madre; como ustedes se alegrarán de ver unos hijos reconocidos. Pero no quiero demorar más; voy a preparar los caballos ahora mismo. Vendrán conmigo nuestros amigos en busca de mi amada. A su buen criterio me encomiendo y les ruego que respeten su decisión. Hasta que ellos hayan visto si es digna de pertenecerme, me comprometo a no verla de nuevo.

Tan pronto terminó de decir esto, salió del lugar y los demás se quedaron hablando con seriedad de aquel importante caso.

Herman corrió a la cuadra, donde los fuertes caballos comían la avena y el forraje. Deprisa, les puso las sillas, pasó el correaje por las hebillas, sujetó las anchas bridas, y condujo al patio a los nobles animales; ahí, el criado, que tomaba parte en su impaciencia, empujó el carruaje y lo sacó de la cochera. De inmediato ataron a los caballos. Herman, sentado en el pescante y látigo en mano, llevó el vehículo al portal. Rodó aquél con ligereza por el pavimento de las calles y pronto dejó atrás los edificios restaurados y los muros de la población, llegando a la carretera que conocía a la perfección. Se lanzó por la colina y el valle, sin parar, y hasta que no vio cerca el campanario del pueblo y sus casas con huertos, no pensó en disminuir la velocidad de su carruaje.

A la entrada del pueblo se extiende un largo y verde prado, donde hay un bosquete de tilos a cuya umbrosa sombra los labradores del contorno y los vecinos del lugar solían reunirse. Entre los árboles se distingue una fontana excavada en un terreno en pendiente, a la que se baja por escalones rústicos. Alrededor del manantial hay unos bancos de piedra con un pequeño parapeto que facilita a la gente recoger el agua sin peligro. En ese lugar detuvo Herman los caballos.

—Bajen aquí —dijo a sus vecinos—, y vayan a infor-
marse de la joven forastera; averigüen si es merecedora de
la propuesta que deseo hacerle. Yo no lo dudo. Nada nuevo
o imprevisto me revelarán. Si sólo tuviera que consultarme,
correría al pueblo y ella misma decidiría mi suerte con dos
palabras. La reconocerán con facilidad por su inefable hermosura. Sin embargo les diré, para más certeza, que se
distingue por la pulcritud de su traje; lleva corpiño rojo,
cerrado con un lindo lazo que sostiene su redondeado busto: una especie de gorjal rodea con púdica gracia su cuello.
Su rostro, oval y agradable, revela el candor y la serenidad
de alma. Su abundante cabello lo lleva recogido en gruesas
trenzas con horquillas de plata y su falda azul desciende en
muchos pliegues hasta los tobillos. Pero les recomiendo de
manera especial que no le hablen ni le den motivo de sospecha sobre las intenciones que tienen. Limítense a preguntar
a los demás y a oír lo que ella tenga que decir. Cuando se-
pan suficiente para calmar a mi padre, vuelvan aquí y
veremos las acciones que debemos tomar. Ése es el plan que
he hecho en el camino.

Sus dos compañeros se alejaron y entraron al pueblo.
Casas, huertos y granjas estaban ocupados por los fugitivos. Los vehículos se amontonaban unos junto a otros.

Los hombres cuidaban de los bueyes y los caballos; las
mujeres tendían sus ropas y los niños jugaban cerca de los
arroyos. El boticario y el pastor se abrieron paso en este laberinto, mirando a diestra y siniestra, sin hallar a la persona
que buscaban.

En eso se dio una disputa entre hombres y mujeres, y
vieron adelantarse a un anciano con aspecto respetable
y digno, y en un momento sus palabras severas restablecie-
ron la paz, sofocando el tumulto.

—¿Qué es esto? —exclamó—. La desventura que a todos los oprime, ¿no ha podido enseñarnos a soportarnos, sostenernos y ayudarnos, aunque todos nuestros actos no se rigieran por la rigurosa justicia? La intolerancia de un hombre feliz se entiende.

—¿Pero acaso los sufrimientos no nos han enseñado a tener simpatía por nuestros semejantes en la pena, por los hermanos? Compartamos por igual el terreno que se nos ha cedido en suelo extraño y pongamos en común todo lo que poseemos para merecer la piedad.

Ante estas palabras todos guardaron silencio; la calma entró en aquellos pechos de personas irritadas y cada uno ordenó y colocó de manera amistosa carretas y bueyes.

El pastor, que le había oído y había visto en aquel extraño personaje la calma de un juez, se acercó a él y de esta forma expresó los sentimientos que le llevaban a abordarlo:

—Venerable anciano, cuando un pueblo vive sus días en calma en la tierra fecunda cuyos ricos productos, que se renuevan cada año, cubren sus necesidades con abundancia, todo marcha sin problemas ni obstáculos; cada persona se puede considerar como la más sabia y la mejor, y el que lo es en efecto queda mezclado entre los demás, pues los sucesos siguen su curso natural sin deber nada al esfuerzo humano. Pero si la adversidad viene a dañar el rumbo normal de las cosas, a hundir el techo del hogar, a arrasar la huerta y la cosecha, a expulsar de su casa al hombre y la mujer, para llevarlos por sendas desconocidas y crearles días y noches de angustia, surge el hombre, el hombre entre todos en verdad sabio e iluminado, y sus palabras, con autoridad total, no caen en el vacío. Usted es sin lugar a dudas el juez de estos pobres fugitivos, pues sabe apaciguar sus arrebatos. Creo ver en usted a uno de aquellos antiguos jefes que llevaron a los pueblos desterrados por los desiertos y me hago la ilusión de que habló a Josué e incluso al propio Moisés.

El juez respondió con gravedad:

—Cierto es que la época se asemeja a las más críticas de que hablan las historias sagradas y profanas; porque el que vivía ayer y vive hoy puede decir que en pocos momentos ha vivido años. ¡Tanto se acumulan los acontecimientos en muy poco tiempo! No soy muy viejo, pero si dirijo la vista al pasado, creo haber vivido tanto como un patriarca. ¡Oh! Bien podemos compararnos con los que en sus días aflictivos vieron aparecer al Señor entre la ardiente zarza, porque así se nos ha aparecido en el fuego y en las nubes.

El pastor se proponía a alargar la conversación para conocer la suerte del anciano y sus compañeros, cuando el boticario le dijo al oído.

—Siga hablando con el juez y traiga a la conversación a la joven, mientras yo voy a buscarla; tan pronto como la encuentre, volveré.

El pastor hizo un signo de aceptación y el honrado explorador siguió caminando por granjas, huertas y matorrales.

VI

Clío

El siglo

El pastor interrogó al juez acerca de las desgracias de aquel pueblo y del tiempo desde que lo habían expulsado de su patria.

—Nuestras desgracias —repuso el anciano—, datan de hace mucho tiempo y hemos bebido largamente en la amarga copa del siglo, si los dolores se miden por las decepciones sufridas. ¡Concebimos tan nobles esperanzas! Nadie puede dudar que no sean elevadas nuestras ideas; nadie puede negar que nuestro corazón no haya latido con más libertad cuando la aurora de un nuevo sol ha alumbrado nuestro horizonte y mil ecos trajeron a nuestros oídos las mágicas palabras del impres-criptible derecho de la humanidad, de la libertad que vivifica y de la igualdad que ennoblece. Actualmente, cada uno espera vivir su propia vida. Las cadenas forjadas por el egoísmo y la pereza, que a tantos pueblos abruman, parecen desprenderse bajo los golpes de sucesos gloriosos. ¿No han puesto los ojos todos los pueblos oprimidos en esa gran capital proclamada de antigua cuna del mundo civilizado y más que nunca digna de tan hermoso título? ¿No son comparables los nombres de sus hombres a los nombres célebres que la fama ha elevado hasta los cielos? Cada uno se sentía enardecido por una inspiración, de un idioma flamante. Nosotros, que estábamos más cerca, fuimos los primeros en sentir su viva llama. Empezó la guerra y los franceses llegaron a nosotros, para traernos al parecer el don de la amistad. En un principio así fue y plantaron alegres los risueños árboles de la libertad, con lo que nos prometieron respetar la autonomía y los territorios de nuestro pueblo. Jóvenes y viejos les dimos una gran bienvenida y brillantes fiestas recibieron la aproximación de los nuevos estandartes. Los franceses, triunfantes, ganaron el corazón de los hombres con su vivacidad y buen ánimo, y el de las mujeres con su irresistible gracia. El peso de esta guerra onerosa se aligeraba con la esperanza que estaba sobre nuestras cabezas abriéndonos nuevos ángulos de visión. ¡Oh, qué época tan feliz, en que el mozo llevaba el torbellino de la danza a su novia en espera del día cercano de su unión! ¡Incluso eran días más hermosos en los que el hombre creía llegar al cumplimiento de sus sueños más nobles! Todo el mundo era elocuente: viejos, hombres maduros, jóvenes, todos hablaban una lengua pletórica de grandes pensamientos y de sentimientos sublimes. Por desgracia, el cielo se oscureció pronto y vinieron a disputarse el fruto de la denominación una casta de hombres con sórdidas intenciones, indignos de alcanzar la idea del bien, que empezaron a matar, oprimir y robar a sus nuevos hermanos. Los jefes nos desvalijaban en masa, los subalternos nos robaban y devoraban cuando les era posible. Cada uno de ellos no siente más que un temor; dejar algo tras él. La miseria aumentaba cada día; la opresión se hacía más insoportable; nadie atendía nuestras quejas; los hermanos se habían convertido en amos implacables. Entonces, la ira de la desesperación se apoderó de los espíritus más apacibles; todo el mundo juró vengarse de tantos ultrajes y de tantas esperanzas frustradas. La fortuna nos favoreció a los alemanes y los franceses retrocedieron con velocidad; entonces conocimos lo funesto de la guerra. Por lo general, el vencedor es grande y generoso, perdona al vencido que se somete, que le sirve y que le reparte sus bienes; pero el fugitivo no conoce ley ni derecho, sólo teme a la muerte y todo lo arrasa a su paso. El ciego furor y la esperanza ausente le llevan a la mente los más odiosos atentados: entra a saco en todas partes, viola a las mujeres y encuentra su placer en el crimen. Como ve que la muerte le amenaza por todo lugar, quiere gozar de los últimos momentos que le quedan. Su alma cruel sólo se complace con la sangre y los gritos de sus víctimas. Contemplando tantos horrores sentimos que nuestra sangre se prende y a los gritos de los fugitivos, a la vista de sus rostros pálidos y de sus miradas perdidas, con la impaciencia de vengarse por lo perdido como por defender lo que queda, corrimos a tomar las armas. Las campanas tocaban incesantes, sin que el temor por el peligro detuviera el creciente ardor. Los más inofensivos instrumentos se convertían en armas de combate; las horquillas de las guadañas se tiñeron de sangre y el enemigo no encontraba gracia ni piedad. ¡Ay, no quiera el cielo que vea más a los hombres arrastrados por semejantes perdiciones! Es mejor la bestia en su arrebato. ¡Que no hablen de libertad esos seres incapaces de dominarse! Rotos los frenos, desbordándose con brutalidad los malos instintos que la ley reprime en los últimos repliegues del corazón.

— ¡Excelente hombre!, respondió el pastor conmovido, si se muestra algo injusto con la humanidad, lo disculpa de su severidad lo mucho que ha sufrido! Pero no podrá menos que confesar que aunque en medio de tantos desastres, habrá tenido oportunidad de observar muchos actos encomiables y muchas cualidades sublimes que no se hubieran manifestado en otras condiciones; el hombre excitado por la desgracia a mostrarse ángel, aparece entonces a sus semejantes como un dios tutelar.

El venerable anciano contestó con una sonrisa dibujada en los labios:

—Se me figura usted a uno de esos labios consoladores que vienen después del incendio a recordar a un desgraciado propietario de pedazos de oro y plata fundidos por las llamas y sumidos bajos los escombros de la casa. Por pequeñas que sean, esas porciones de metal conservan algún valor y el pobre hombre que inicie de nuevo la búsqueda se considera feliz de encontrarlas. Lo mismo me sucede cuando veo pocas buenas acciones de las que conservo el recuerdo. He visto, lo acepto, reconciliarse a antiguos enemigos para salvar su ciudad de males que la comprometían;

he visto a hombres realizar acciones imposibles para salvar a sus padres, hijos y amigos; he visto a jóvenes convertirse de repente en hombres maduros, viejos transformados en jóvenes, y niños improvisados adolescentes. He visto al sexo débil, como se le acostumbra llamar, realizar actos de energía, valor y presencia de espíritu. Y ya que de esto hablamos, déjeme contarle una heroica acción hecha por una doncella, con la que honra su género. Habiendo quedado sola con otras jóvenes en una casa de campo, vio entrar en el patio una tropa de cobardes fugitivos que se dieron al pillaje y no tardaron en invadir los cuartos de las damas. Al ver la divina hermosura de la joven y las gracias de sus compañeras, que en su mayoría eran casi niñas, se apoderó de aquellos monstruos un deseo feroz y se abalanzaron sobre ellas; pero en el acto, la heroína arrancó a uno de los malvados la espada que llevaba en la cintura y de un terrible golpe lo derribó a sus pies ensangrentado; y salvando a las demás con su varonil habilidad, hirió a otros cuatro, que salvaron la vida huyendo. Enseguida cerró la puerta del patio y lista para volver a tomar las armas esperó a que vinieran en su ayuda.

Al oír el elogio para la doncella, el pastor abrigó la esperanza a favor de su amigo e iba a preguntar qué había sido de ella y si venía con los fugitivos, cuando llegó corriendo el boticario y al oído le dijo:

—Ya le encontré. Venga y véala con sus propios ojos; traiga al juez con nosotros, para que nos informe.

Voltearon hacia el juez, pero por un asunto urgente se había retirado. Sin embargo, el pastor siguió a su amigo, que le hizo pasar por la brecha de una valla y pidiéndole después que se detuviera, le dijo:

—¿Ve a esa joven que está vistiendo al recién nacido? Reconozco la vieja bata de nuestro amigo entre sus manos y la funda de almohada azul que Herman le trajo; en verdad, no ha tardado en hacer un pronto y buen empleo de esos dones.

Éstas son señales evidentes y los que se refieren a su vestimenta no son menos; corpiño rojo cerrado con gracia y cubriendo un busto redondeado; falda azul de largos dobleces que baja hasta los pies; un gorjal que le ciñe el cuello; largos cabellos en trenzas prendidas con horquillas de plata. No hay duda, es ella; venga y tratemos de averiguar si es buena, virtuosa y mujer de su casa.

El pastor consideró bien a la joven y dijo:

—No me extraña que haya seducido el corazón de nuestro joven, porque puede enfrentar el examen del juez más experimentado. ¡Dichosos aquellos a los que la naturaleza ha proporcionado una forma encantadora! Es un título de recomendación que llevan siempre y no resultan extraños en ningún sitio. Todos sienten placer de verlos, de acercarse a ellos, de permanecer en su compañía, si a las cualidades espirituales une también las ventajas externas. Le aseguro que Herman ha encontrado una compañera que llenará su vida de encantos y será en todo momento una compañera fiel y animosa. Un cuerpo tan perfecto promete una hermosa alma, como en el vigor de la juventud se adivina una feliz madurez.

—Las apariencias pueden engañar —dijo el boticario—; yo no me fío con facilidad del exterior, pues he vivido en carne propia el proverbio que dice: no entregues tu confianza al amigo nuevo hasta que hayas consumido en su compañía un celemín de sal; el tiempo sólo dirá si tu amistad ha de perdurar. Por lo tanto, dirijámonos primero a las buenas personas que conocen a la joven y que podrán informarnos de ella.

—Me parece una precaución apropiada —dijo el pastor—; y sobre todo, tratándose de pedir a una muchacha en matrimonio para un amigo.

En ese momento vieron aparecer al juez y el pastor le dijo con prudencia:

—¿Qué puede decirnos de una joven que hemos visto cerca, sentada al pie de un manzano vistiendo a un niño con unas prendas usadas, que sin duda le han regalado? Nos agrada su aspecto; nos ha parecido prudente y honesta; le hacemos la pregunta con buena intención.

El juez, después de haber entrado en la huerta para ver de quién hablaban, dijo:

—Ya la conocen, pues es la joven cuya hazaña he relatado; la que arrancó el sable a un soldado para defenderse y proteger a sus compañeras. Ha nacido fuerte y animosa, y no es menos buena. Prodigó los más tiernos cuidados a su abuelo hasta que la suerte de su desdichado pueblo y el temor de verse despojado de sus posesiones le quitaron la vida. Ha soportado con igual entereza la pérdida de su novio, joven de alma elevada, que guiado por su generoso ardor fue a París a ayudar a la causa sublime de la libertad, donde fue objeto de horrible muerte, pues tanto ahí como aquí declaró la guerra a la injusticia y al despotismo.

Los dos amigos agradecieron al anciano sus palabras y antes de retirarse, el pastor sacó de su bolsillo una moneda de oro (pues antes al pasar los fugitivos les había distribuido las monedas de plata que llevaba) y entregándosela, le dijo:

—Reparte este humilde obsequio entre los desposeídos. ¡Dios quiera acrecentarlo!

Pero al juez, al negarse a recibirla, dijo:

—Hemos ahorrado algún dinero, ropas y otros objetos, y espero que tendremos suficiente para esperar el regreso a nuestros hogares.

El pastor insistió:

—Nadie en los días de desgracia debe resistirse a dar ni negarse a recibir lo que le ofrece la humanidad. ¿Sabe acaso uno hasta cuándo ha de errar por territorios extraños, lejos de la huerta y del campo en que ha vivido?

El boticario interrumpió entonces con alguna vergüenza:

—Siento mucho no traer dinero para secundar a mi compañero; sin embargo, no le dejaré sin haber hecho una pequeña ofrenda; aunque el don no sea grande, es de buena voluntad.

Y con estas palabras sacó de la bolsa de cuero donde llevaba el tabaco y vació su contenido suficiente para llenar varias pipas.

—El regalo es insignificante —añadió.

—El buen tabaco, dijo el juez, es siempre bien recibido entre viajeros.

Cuando el boticario se disponía a expresar grandes halagos sobre su tabaco, el pastor, al despedirse del juez, dijo a su amigo:

—Démonos prisa para llevar a nuestro amigo la buena noticia; pues nos espera ansioso.

Apretaron el paso y encontraron bajo los tilos a Herman, recargado en el vehículo. Los caballos estaban impacientes. Los tenía tomados de la brida y estaba absorto con los ojos en la tierra, de modo que no notó la llegada de los dos amigos hasta que estuvieron cerca. Éstos le llamaron con muestras de la más viva alegría. El boticario ya había comenzado a hablar de lejos; sin embargo, se acercaron y el pastor, tomando a Herman de las manos, cortó la palabra de su compañero y dijo:

—Hijo mío, tu elección ha sido acertada; has tenido segura la mirada y tu corazón no se ha confundido; que sean dichosos, tú y la compañera de tu juventud, porque es diga de tu ofrecimiento. Vuelve el coche, llévanos a la aldea para que pidamos su mano y llevemos a la virtuosa doncella adonde tu padre.

Pero el joven, sin moverse del lugar y sin dar muestras de satisfacción, dijo suspirando:

—Vinimos muy rápido y quizá debamos volver despacio para ocultar la confusión. Desde que ustedes me dejaron he sido presa de la duda, de la perplejidad, de la desconfianza, de todo lo que puede agitar el corazón del hombre que ama. Porque somos ricos y ella, pobre y desterrada, ¿creen que la joven va a ir con nosotros? La pobreza no merecida inspira altivez. Ella me parece modesta y trabajadora; el mundo está en ella, porque se basta a sí misma.

¿Creen ustedes que una persona tan excepcional como ella, de belleza y carácter, no habrá impresionado el corazón de algún otro hombre? ¿Piensan que permanece inaccesible al amor? ¡Oh, no nos demos tanta prisa en ir a buscarla! Podría ser que regresáramos sobre nuestros pasos, tristes y sin esperanza. Temo que haya algún afortunado que posea su amor y me imagino la vergüenza que seguiría si rechazara mi propuesta.

Iba a animarle el pastor, cuando su compañero, siempre dispuesto a divagar, le robó la palabra:

—En otros tiempos no había que enfrentar tantas dificultades; los asuntos se trataban de otra forma. Cuando los padres habían elegido novia para el hijo, lo confesaban a un amigo de la casa y le pedían que solicitara la mano de la joven. Y aquél, en traje de fiesta, iba el domingo después de comer a buscar al padre y comenzaba la conversación con cortesías; luego con habilidad y grandes rodeos llevaba la conversación al tema que le importaba, haciendo elogio de la familia, sin olvidar a las personas que representaba. Las buenas gentes comprendían sin demora las intenciones y el prudente mandatario explotaba sus disposiciones y sólo se aventuraba a sabiendas en explicaciones más diáfanas.

Si la demanda era rechazada, la negativa no implicaba humillación; en cambio, si era aceptada, el feliz negociador tenía desde entonces un puesto señalado en todas las fiestas de la familia, porque la joven pareja se acordaba toda la vida de la mano astuta que había hecho el primer nudo de su unión.

Pero ahora, está todo esto, ¡ay!, tan pasado de moda como otras costumbres respetables; nuestros jóvenes no temen hoy hacer en persona su petición y han de enfrentar en persona la negativa y padecer la pena en presencia de la muchacha.

Apenas escuchó Herman estas palabras, tomó una resolución:

—No importa lo que suceda, voy a ir yo mismo a saber mi suerte de su propia boca. A ella me entrego de forma más completa que ningún otro hombre se pueda haber entregado a ninguna mujer. Estoy seguro de que lo que me diga será justo y sensato. Aun cuando la vea por última vez, quiero mirarme de nuevo en sus hermosos ojos aunque tenga que renunciar para siempre a estrecharla contra mi pecho, quiero admirar aquel busto y aquellos hombros que mis brazos quisieran tener y aquella boca en la que un sí y un beso me darían felicidad infinita, pero en la que no puede estribar mi perdición.

Les ruego que no me esperen. Vuelvan a mi casa y digan a mis padres que erré y que la joven es digna de la suerte más dichosa. Al regresar tomaré, para acortar el camino, el sendero que conduce al peral limítrofe con nuestras tierras. ¡Oh!, si fuera tan afortunado de poder llevarla conmigo! Pero quizá vaya solo por ese sendero, que nunca más veré con alegría.

Esto decía cuando entregó las riendas al pastor, que se apresuró a tomar el lugar del joven, para dirigir los caballos con destreza.

El boticario dudaba en subir y dijo al nuevo conductor.

—Amigo mío, muy a gusto le confío mi alma y sus potencias, pero el cuerpo y sus miembros no tienen garantía cuando una mano sagrada se apodera de las riendas de este mundo.

El juicioso pastor le dijo sonriente:

—Suba sin miedo y confíeme su cuerpo tanto como su alma; hace tiempo que mi mano está acostumbrada a empuñar las riendas de un carruaje, así como mi vista a vigilar todos los accidentes del camino. Cuando acompañé al joven barón a Estrasburgo, solíamos salir en coche y era yo quien lo conducía cada día fuera de la ciudad, por el campo, bajo los árboles, por las polvosas carreteras, llenas de paseantes.

Un poco calmado por estas palabras, el boticario subió y se sentó en el carruaje; sin embargo, se colocó de una forma en que pudiera saltar en caso de peligro. Los caballos emprendieron el camino, galopantes, impacientes por volver a la cuadra. Bajo sus patas se levantaban torbellinos de polvo.

Durante un buen rato siguió el joven con los ojos en aquellas nubes de polvo; luego, al desaparecer, continuó ahí, inmóvil y con un aspecto de insensibilidad.

VII

Erato

Dorotea

Como el viajero que momentos antes de que el sol se oculte, fija la vista en el fugitivo disco y luego ve vacilar la imagen a lo largo de los bosques sombríos y al lado de las rocas y por donde quiera que dirige la mirada le persigue un rayo de esplendor, que corre, pasa y vuelve a pasar por sus ojos, así Herman veía en su alma la gentil figura de Dorotea y creía verla aparecer y desvanecerse entre los trigos.

No tardó en despertar de aquel letargo. Se encaminó entonces lentamente hacia la aldea, hasta que sorprendido de pronto se detuvo; tenía frente a él a la bella Dorotea. La miró profundamente, sintiendo ser víctima de una ilusión; pero no era falsa la imagen que salía a su paso: era Dorotea en persona. Llevaba en una mano un cántaro grande y uno más pequeño en la otra; se apresuraba para llegar a la fontana.

Herman se acercó a la hermosa y tomando ánimos, la abordó; ella se sorprendió del encuentro.

—Otra vez te veo, caritativa joven, dispuesta como siempre a mitigar los males de tu gente. Dime, ¿por qué vienes sola a la fontana, estando tan lejos, cuando tus compañeras se contentan con llenar sus cántaros en las fuentes del pueblo? ¡Ah, ya lo veo! Sabes que esta agua contiene virtudes especiales y sabor agradable, y sin duda la destinas a quien has salvado con tu admirable entrega.

La joven saludó amistosa a Herman y dijo:

—Doy por bien empleada mi caminata hasta este sitio, por encontrar de nuevo al hombre generoso que nos ha llenado de dones. Tan grata es la presencia del bienhechor como el propio beneficio. Venga, acompáñeme y verá con sus propios ojos a los favorecidos de su caridad para ser objeto de su agradecimiento. Pero antes le diré por qué vengo a tomar agua de este abundante manantial; simple es la respuesta. Nuestra gente, con lamentable falta de previsión, ha enturbiado el agua de la aldea al atravesar con bueyes y caballos el depósito que suministra a los habitantes; además, tanto han lavado y limpiado que no hay cisterna que no esté sucia. Es muy común que cada uno piense sólo en sí mismo, sin procurar a las personas que le siguen.

Hablando de este modo llegaron Dorotea y Herman al pie de los anchos escalones y se sentaron en el parapeto que rodeaba el manantial. Dorotea se inclinó para llenar un cántaro y Herman hizo lo propio para llenar el otro. Vieron los dos jóvenes su imagen, flotando en un cielo azul; acercaron sus rostros y se dirigieron en tan puro cristal un saludo cariñoso.

—Permíteme beber de esta agua —dijo el mozo con alegría.

Ella le dio el cántaro y así estuvieron sentados sobre el reborde de la fuente con confianza ingenua.

Luego dijo a su nuevo amigo:

—Dígame, ¿cómo lo encuentro en este lugar y sin su carruaje y caballos, lejos del sitio donde lo conocí? ¿Por qué ha venido?

Herman permaneció en silencio por un momento, bajó la cabeza y la levantó animado por la afectuosa mirada de la joven; pero le hubiera sido imposible hablarle de amor.

No había en los ojos de la forastera expresión alguna de ternura; en ellos sólo se notaba una inteligencia serena que ordena un lenguaje razonable. El joven se contuvo unos instantes y terminó por decidirse a contestar de la siguiente forma:

—He venido a buscarte, ¿para qué ocultarlo? Vivo feliz en compañía de mis padres queridos y les ayudo a dirigir la casa y nuestros bienes; soy hijo único y tenemos que trabajar mucho. Yo me encargo del cultivo de nuestras tierras; mi padre está al frente de la casa y mi madre usa su infatigable energía en las tareas domésticas. Pero seguro que no desconoces, por propia experiencia, que los criados, por infidelidad o torpeza, son tormento de sus amas, que están obligadas a renovar constantemente la servidumbre, o en otras palabras, a ir de mal en peor. Por eso mi madre hace tiempo desea tener a su lado una joven, que además de prestarle sus servicios, le consagre su afecto y llene el espacio que dejó mi hermana, quien falleció muy joven. Pues bien, al verte junto a la carretera, tan dispuesta y animosa, al apreciar la fuerza de tus brazos y la rebosante salud de tu cuerpo, al oír tus discretas razones, quedé muy impresionado y me di prisa para regresar a casa, donde alabé ante mis padres y amigos los méritos de la forastera. Y ahora venía a decirte lo que desean tanto como yo... Perdóname si no atino a decir las cosas mejor.

—No tema decírmelo todo, repuso ella. Sus proposiciones no me ofenden. He comprendido sus propósitos y le quedo muy agradecida. Hable sin rodeos; quiere ajustarme para criada de sus padres y encargarme de los deberes domésticos de su rica casa; ha creído ver en mí una joven trabajadora, dispuesta y de buenos sentimientos. Breve ha sido su petición, breve será también la respuesta. Sí, le acompañaré, seguiré el camino que indica mi suerte...

Acepto de buen grado ganarme honradamente la vida en casa de un hombre de bien, a las órdenes de su digna madre; porque siempre es muy expuesta la reputación de una joven vagabunda. Aquí cumplí con mi deber; he puesto a la enferma en manos de su gente, que se muestran felices al verla a salvo; la mayoría ya está con ella; los demás no demorarán. Todos nuestros compañeros se imaginan que van a volver a su patria; les agrada tanto a los fugitivos abrigar ilusiones. Pero yo, en estos tiempos de desgracia, que presagian otras más, no me dejo vencer por falsas esperanzas. Nuestros antiguos lazos han quedado rotos y la necesidad debe crear otros nuevos. Sí, le acompañaré después de llevar estos cántaros a mis amigos y de recibir su bendición. ¡Venga! Quiero que los conozca y que ellos mismos me pongan a su servicio.

Encantado el joven de verla tan dispuesta, estuvo tentado a revelar su verdadera intención, pero creyó más prudente dejarla en su error y llevarla a casa para tratar después de conseguir su amor, tanto más cuanto que le tenía perplejo un anillo de oro que la joven llevaba en el dedo.

—Vámonos —dijo la joven—. Se reprueba a las muchachas que se entretienen en la fuente más de lo necesario; y, sin embargo, ¡es tan agradable charlar cerca de la corriente!

Se levantaron, vieron por última vez el manantial y el mismo pesar produjo gran emoción en ambos. Dorotea tomó en silencio los cántaros y subió los escalones. Herman la siguió y le pidió lo dejara llevar un cántaro.

—No, déjelo —dijo ella—; equilibrado el peso de los dos recipientes, se lleva mejor el peso; y además, no está bien que el hombre que pronto va a mandarme empiece a servirme. No me mire con esa seriedad, como si mi suerte debiera crear lástima. Es muy conveniente que la mujer aprenda a servir en un principio, pues sólo a fuerza de ello llega a saber mandar y a ejercer en la casa la autoridad que le corresponde en la familia. ¿Acaso una buena hija no es desde sus primeros tiempos la servidora de padres y hermanos? Feliz es la mujer que se habitúa a encarar las mayores penalidades, a no juzgar peores para el trabajo las horas nocturnas que las del día, a no quejarse de que una labor sea muy meticulosa o que una aguja sea demasiado delgada, a olvidarse de sí y a sacrificarse por los demás con gusto; porque una vez que se convierte en madre, necesitará toda su fuerza cuando el hijo despierto le demande alimento, a ella, débil y pobre criatura, en quien tal vez los cuidados se unen con los sufrimientos. 20 hombres no bastarían para dicha tarea. Claro que no es su deber, pero deberían impresionarse ante tal espectáculo.

Con esta charla atravesaron la huerta y llegaron a la granja donde estaba la mujer antes embarazada con las muchachas, modelos de inocencia, que Dorotea había salvado. En esto venía por el otro lado el juez, con un niño tomado de cada mano, que acababa de encontrar entre la multitud, después de haberse perdido. Después de abrazar a su madre y acariciar a su nuevo hermano, corrieron hacia Dorotea, la besaron y le pidieron pan, fruta y, sobre todo, agua. Después de beber los niños y la enferma, todos se refrescaron y elogiaron el delicioso líquido, que tan buen sabor tenía y era muy saludable.

La joven, entonces, miró a todos un poco melancólica.

—Ésta es la última vez —dijo—, que les doy de beber agua de este cántaro. Si algún día muy caluroso se refrescan con una agradable bebida o se sientan a la sombra de un árbol cerca de un manantial puro, acuérdense de mí y de los cuidados que he podido brindarles, más por cariño que por obligación. Por mi parte recordaré toda la vida su bondad.

Los dejo con pena, pero unos para otros somos más una carga que un alivio, y si se nos niega el regreso a nuestro país, tendremos que dividirnos en tierra ajena.

Este joven, que es nuestro bienhechor y a quien debemos las ropas del niño y las provisiones que nos cayeron del cielo, ha venido a proponerme ir a su casa para atender a sus padres, tan ricos como virtuosos; yo he aceptado porque en todas partes tiene la mujer deberes que cumplir, y para mí sería lo más grave tener que estar ociosa y hacerme servir por los demás. Es por ello que le sigo con gusto; parece razonable y estoy segura de que sus padres no lo serán menos.

Adiós, digna amiga; viva feliz y cuando envuelva a su pequeño en esas ropas tan suaves y delicadas, piense en el caritativo joven que se las ha dado y que ha de darme a mí, de la misma manera, vestido y sustento.

Y usted, hombre excelente, dijo al anciano, usted que en muchas ocasiones sirvió a mi padre, reciba el más sincero de los agradecimientos.

Luego se puso de rodillas para abrazar a la enferma que con la voz entrecortada por el llanto, apenas pudo darle su bendición.

El anciano se dirigió a Herman y dijo:

— Amigo, bien merece elogios por su elección. He visto muchas personas que en una feria de bueyes, carneros o caballos, trataban con mucha dedicación sus negocios y que luego se entregaban a la suerte cuando tenían que confiar a alguien la gestión de su casa o su fortuna. Si la persona elegida es honrada y dedicada, todo lo conserva en perfectas condiciones; si es inepta y con malas intenciones, todo corre peligro, y luego llegan los arrepentimientos por haber actuado de manera superficial.

—Creo que usted entiende estas cosas a la perfección, aunque sea muy joven la persona que ha elegido para el servicio de sus padres y el suyo. Tenga para ella toda clase de consideraciones, pues en ella tendrá usted una hermana y sus padres, una hija.

Mientras tanto, llegaron varias mujeres, con diversas cosas para la mujer que había dado a luz. Cuando supieron de la decisión de la joven, bendijeron a Herman con miradas que mostraban sus pensamientos y algunas murmuraron al oído de sus vecinos: "Si deja de ser su amo para ser su marido, no podrá quejarse de su suerte".

Herman tomó la mano de la joven y dijo:

—Partamos, se hace tarde y el camino es largo antes de llegar a nuestra pequeña ciudad.

Las mujeres, hablando todas al mismo tiempo, abrazaron a Dorotea. Herman trató de separarla. La joven, antes de partir les pidió saludaran a varios de sus buenos amigos. Ya iba a partir, pero los niños, entre llantos y gritos, la tomaron por la falda decididos a impedir que los dejara su segunda madre.

Algunas mujeres debieron intervenir, llamando la atención de los niños con autoridad.

—¡Callen, niños! Dorotea va a la ciudad a traerles los confites que su hermano encargó, cuando la cigüeña pasó frente a la confitería; ya verán que regresa pronto.

Sólo entonces la soltaron los pequeños y Herman la arrancó con trabajos de los brazos de sus amigas, quienes después de alejarse de ella agitaron mucho tiempo sus pañuelos para prolongar la despedida.

VIII

Melpómene

Herman y Dorotea

Los rayos del sol poniente se ocultaban intermitentes, detenidos por negras nubes que presagiaban una tormenta.

—Dios quiera evitarnos una fuerte tormenta —dijo Herman—; porque todo indica que habrá una excelente cosecha.

Mientras caminaban se deleitaban los dos jóvenes de ver los altos trigales, susurrantes por el viento, que se alzaban casi al nivel de sus cabezas.

—Hombre excelente —dijo la muchacha a su guía—, a quien deberé seguro asilo y vida apacible mientras tantos pobres andan errantes a merced de su suerte, ¿por qué no me habla de sus padres? Aunque estoy dispuesta a servirles de todo corazón, es bueno saber de antemano cómo son, pues conociendo al amo resulta más fácil complacerle, dándole gusto en las cosas que considera más importantes y en los trabajos que más le interesen. Dígame cómo puedo ganar su voluntad.

—Me parece bien, joven llena de perfecciones —repuso él—, tu deseo de conocer el carácter de mis padres antes de llegar. Sin una atención semejante, hubiera hecho vanos esfuerzos por servir fiel a mi padre, saliendo a los campos y a la viña temprano, volviendo tarde y cuidando los intereses de la casa como personales. A mi madre no me fue difícil complacerla siempre, pues hace justicia a mi celo y no tengo duda de que serás para ella perfecta, si cuidas de la casa como si fuera tuya. Pero mi padre es diferente; le gusta que las cosas tengan cierta apariencia ostentosa. No me creas, virtuosa joven, un hijo desnaturalizado, al oírme hablar de sus defectos. Te juro que es la primera vez que salen estas palabras de mi boca, pero me inspiras tal confianza, que te abro mis sentimientos. Mi buen padre gusta de las formas corteses y ceremoniosas de una sociedad y de los testimonios exteriores de amor y respeto. Un mal servidor que supiera aprovechar la debilidad merecería su benevolencia más que uno bueno que ignorara dicho cuidado.

—Tengo la firme esperanza de complacer a los dos —dijo la muchacha con alegría—. El carácter de su madre es similar al mío y desde la infancia estoy acostumbrada a las buenas costumbres. Nuestros vecinos los franceses favorecen mucho la cortesía superficial y tanto el ciudadano como el campesino presumen de poseerla y la recomiendan a los suyos. Nosotros también tenemos nuestras costumbres; por ejemplo, acostumbramos a los niños a dar los buenos días a sus padres y a besar su mano. Así es que pondré en práctica, para agradar al señor, todo lo que tengo de educación y buenos hábitos, además de todo lo que me indique el corazón. Sólo me falta saber cómo debo tratar al hijo único de la casa, que será también mi señor.

Mientras hablaban llegaron al peral. Brillaba la luna en todo su esplendor. Era ya de noche. Los últimos rayos del sol se habían apagado y a la vista de los caminantes se extendían capas sin forma, unas brillantes como iluminadas por la luz del día, y otras envueltas en las sombras de la noche oscura. Herman escuchaba con ternura las preguntas de la joven, al pie del soberbio árbol, en aquel sitio que tanto quería, y que ese mismo día había sido testigo de amorosos lamentos. Se sentaron para descansar un poco y el enamorado tomó la mano de la muchacha y le dijo:

—Escucha a tu corazón y obedece tus inspiraciones con libertad.

No se atrevió a agregar más, aunque la ocasión era idónea para que expresara sus sentimientos, pero tenía una negativa.

Permanecieron juntos y en silencio un tiempo, hasta que la joven dijo:

— ¡Cómo me gusta esa luz brillante de la luna! Su claridad es como la del día. Distingo a la perfección las casas y los corrales del pueblo; en un tejado veo una ventana; podría contar sus vidrios.

—La que ves, repuso Herman, es nuestra casa, la casa adonde nos dirigimos, y esa ventana del tejado es la de mi habitación, que tal vez sea el tuyo, pues pensamos hacer algunos ajustes en casa. Esos campos que están por segar son de nosotros. Vendremos a menudo a descansar y a comer a la sombra de este árbol. Pero ya es hora de que bajemos por la viña y por la huerta, porque los relámpagos que se ven son amenaza de una tremenda tormenta. No tardarán las nubes en devorar el encantador círculo lunar.

Se levantaron y anduvieron, a la apacible claridad de luz de la luna, por los campos repletos de ricas espigas. Llegaron por fin al viñedo en medio de las sombras proyectadas por los ribazos.

Herman ayudó a Dorotea a bajar las grandes losas que servían de escalera al emparrado y avanzaba despacio, con las manos apoyadas en los hombros de su acompañante. La luna no les ayudaba a ver a través del follaje más que con tenues fulgores y cubierta al fin por las nubes tempestuosas, dejó a la pareja en total penumbra.

Herman, lleno de vigor, procuraba sostener con precaución a la joven, pero como ella no conocía el camino ni los tramos sinuosos, se tropezó y casi cae. En el acto volteó Herman y estiró el brazo para detenerla. Dorotea se recostó con suavidad en sus hombros, se juntaron sus pechos y se rozaron sus mejillas; pero él se mantuvo firme como una estatua de mármol, inmovilizado por su breve voluntad y, sin atreverse a estrecharla en sus brazos, se conformó con sostener el peso de la dulce carga. Sintió muy cerca los latidos de la muchacha y respiró el perfume de su aliento.

Dorotea, para disimular el dolor de la torcedura del pie, dijo en tono de broma.

—Suele decirse que presagia desgracia torcerse el pie antes de entrar a una casa. Hubiera preferido mejores señales. Paremos un momento, para que sus padres no puedan decir que ha cometido la torpeza de traer una criada coja.

IX

Urania

La perspectiva feliz

Musas, graciosas guardias del amor sincero, ustedes que hasta aquí han guiado al digno joven, que han lanzado a sus brazos a la amada, antes de los esponsales, acaben de unir a la maravillosa pareja; disipen pronto las nubes que amenazan con turbar mi aventura. Y en primer término, díganos los que sucede en casa de los padres.

La madre, llena de miedo e impaciencia, había entrado ya tres veces al salón donde estaban los amigos, intranquila por la tormenta que amenazaba, por los cambios constantes de la luna, por la larga ausencia del hijo y por los peligros que podría enfrentar, reprobando a los dos amigos por haberse separado del joven sin hablar a Dorotea ni haber pedido su mano.

—No agraves el mal —dijo el padre—. ¿No ves que también estamos impacientes?

Pero el boticario, sentado con total tranquilidad, dijo:

—En estos momentos de trastorno, bendigo a mi padre, que supo quitar de mi corazón la impaciencia de raíz y me enseñó a esperar con filosofía los sucesos.

—¿Qué secreto usó para tal fin? —preguntó el pastor.

—El siguiente —repuso el boticario—. Y valga para que cada uno lo aproveche. Era todavía un niño cuando un domingo esperaba impaciente el carruaje que habría de llevarnos al manantial de los tilos; y como no llegaba, no podía estar en paz ni un momento. Subía y bajaba las escaleras, iba de un sitio a otro, del balcón a la ventana, las manos me picaban, daba golpecitos en la mesa y patadas en el suelo; en fin, estaba como loco y cerca de soltar el llanto. Mi padre, que me veía, me tomó un brazo con tranquilidad y me llevó a la ventana. Dijo: "¿Ves ahí enfrente el taller del carpintero? Hoy está cerrado, pero mañana no lo estará; desde la mañana hasta en la noche están en movimiento las sierras y los cepillos; pero escucha esto; llegará un día en que el maestro y oficiales usarán su industria para preparar tu ataúd, que saldrá pronto de sus manos, y se darán prisa a traer la caja de madera que recibe al fin al paciente y al impaciente". Mi imaginación me hizo ver en realidad la difícil escena y me senté tranquilo a esperar al carruaje. Desde entonces, siempre que veo a la gente trastornada y llena de impaciencia, pienso en el ataúd que ha de venir.

—La idea de la muerte —dijo el pastor con una sonrisa—, no se presenta al sabio como motivo de espanto, ni al

piadoso como el final. Enseña al primero a reflexionar sobre la vida y sus reglas, y le abre al segundo una perspectiva
de alegría que hace brillar la esperanza en el fondo de los
días de mayor sombra. Para los dos, la muerte es un cambio
de vida. Por ello, su padre hizo mal en enseñarle a usted,
corazón infantil, débil y fácil de impresionar, nada más que
la muerte. Hay que mostrar al joven el espectáculo de la
augusta vejez y al viejo el de la sonriente niñez, para que
pongan todas sus miradas en ese círculo externo de sucesión de la vida.

En eso se abrió la puerta y apareció la pareja; padres y
amigos quedaron sorprendidos al ver a Dorotea, cuya del-
gadez y hermosura armonizaban tanto con el exterior del
joven, y hasta la puerta lucía muy pequeña para los dos.
Herman presentó a Dorotea a sus padres.

—He aquí una joven como deseaban para la casa. Padre, dígnate a recibirla bien, pues lo merece; y tú, madre,
pregúntale todo lo concerniente al gobierno de una casa y
verá cómo es muy capaz de tomar el papel de hija.

De inmediato llamó al pastor y le dijo:

—Excelente amigo, ayúdeme a desatar este nudo que
me oprime; porque la joven no me acompaña porque crea
que va a ser mi esposa; cree venir a esta casa como sirvienta
y temo que nos deje si se le habla de matrimonio. Pero que
la resolución sea instantánea, pues ni ella debe seguir en el
error ni yo en la duda. Presto preste un nuevo testimonio de
su briosa prudencia.

El pastor se incorporó en el acto a la reunión, pero
¡ay!, ya el alma de la joven había sido herida por estas palabras del padre, dichas en son de broma.

—Me alegro en el alma, hija mía, de que Herman salga
en esto a su padre, que cuando joven elegía siempre a la

más bonita para bailar, y que al fin eligió a la más bella para traerla a su casa como esposa. En la esposa se descubre el carácter del que la ha escogido; con eso expresa lo que vale a sus propios ojos. Estoy seguro de que no lo ha pensado dos veces ni le ha sido penoso seguirla.

Herman no había oído sino una pequeña parte de estas palabras y, sin embargo, sufrió un temblor total; todos los presentes guardaron silencio.

Pero la admirable joven, herida hasta el fondo del corazón por una broma que le parecía un insulto, no se movió y con el rostro encendido por el rubor, con un esfuerzo dijo al anciano sin cubrir su pena:

— ¡Oh! Ciertamente, su hijo no me había preparado para esta bienvenida, cuando me pintó a su padre como un ciudadano excelente. Sé que usted es hombre cortés y amable con todo el mundo, pero creo que no siente suficiente compasión hacia la pobre joven que recién cruzó esta puerta y que está dispuesta a seguirle sin necesidad de que le haga sentir con amarga ironía la distancia que hay entre su hijo y yo. Soy una mujer pobre, no lo niego, que entra con su humilde paquete de ropa bajo el brazo en una casa donde priva la abundancia, pero me conozco y sé apreciar nuestras mutuas relaciones. ¿Es generoso mortificarme, al poco tiempo de llegar a su casa, con burlas despiadadas, que en rigor me fuerzan a no permanecer más tiempo en ella?

Herman, muy ansioso, se agitaba y hacía señales al pastor para que interviniera y esclareciera el error. El sensato clérigo contempló a la joven, que tenía los ojos llenos de llanto y decidió prolongar un momento el engaño, en lugar de disolverlo, para sondear los sentimientos de la joven.

— ¡Oh, joven extranjera, tu resolución de servir en esta casa ha sido algo precipitada! Piensa que una promesa

obliga para un año y que un sí puede traer mil sinsabores.
En el servicio, no son los penosos ajetreos ni los sudores de
un forzado trabajo lo más difícil, pues un amo activo se fatiga tanto como sus sirvientes, sino la resignación ante los
caprichos del dueño, los castigos injustos y las órdenes encontradas. Lo difícil es someterse a los arrebatos de un
humor agrio, a las groseras insolencias de los niños, a la
tarea obligada que no permite dudas ni murmuraciones. Por
eso me parece que no eres propia para este estado, pues
una simple broma del jefe de la familia te ha herido con tal
hondura, aunque es cosa común jugar alguna broma a una
muchacha por la cual haya sentido atracción algún joven.

Ante estas palabras, Dorotea no se contuvo; sus sentimientos se manifestaron enérgicos, suspiró y dijo, mientras
soltaba lágrimas amargas.

—¡Oh, qué poco sabe el hombre razonable que desea
consolar al afligido, que una palabra fría no puede librar
al corazón del peso de las penas con que el cielo decidió
abrumarle! A ustedes, que viven con felicidad y alegría,
¿cómo puede herirles una broma? Pero el enfermo sufre la
mano más ligera.

Aún cuando quisiera, no podría fingir: decidamos al
instante. Demorar sería aumentar mi dolor, arrastrándome
a una lucha en la que gastaría toda mi fuerza. Déjenme mar-
charme; no debo permanecer en este lugar; voy a salir y a
buscar a mis pobres compañeros, a quienes he dejado en
desgracia, pensando sólo en mí. Esta decisión es firme y
terminante, pues de haberme quedado aquí, hubiera per-
manecido sepultado en mi pecho. Si la burla de ese padre
ha herido mi alma en lo más profundo, no es porque tenga
un orgullo que no conviene a mi estado, sino porque es verdad que mi corazón ha sentido inclinación hacia el joven
que hoy apareció ante mí como un libertador. Desde que

me dejó en la carretera no ha dejado de estar presente en mi pensamiento. Pensé en la felicidad de la mujer que tal vez amara. Y al encontrarle de nuevo en la fuente, me sentí feliz como con la aparición de un ser del cielo. Cuando me preguntó si quería servir a sus padres, le seguí con toda mi alma. E incluso diré más; durante nuestro camino me entregué, a pesar mío, a la esperanza de que quizá algún día merecería su mano, cuando llegara a hacerme indispensable en su hogar. Ahora sólo veo el peligro al que me exponía, tan cerca del amo, y entiendo la distancia que hay entre el joven rico y la muchacha pobre, aunque sea dueña de las mejores cualidades. Confieso todo para que conozca el corazón que ha herido. Gran suerte ha sido que me sienta ofendida, porque me ha obligado a tomar la decisión que he de llevar a cabo. De lo contrario, obligada a disimular mis íntimas esperanzas, tarde o temprano hubiera visto entrar en esta casa a la esposa y entonces, ¿hubiera podido soportar mi pena? Felizmente el secreto he revelado cuando hay remedio.

Y ya he dicho bastante. No seguiré aquí un momento más para no alargar mi malestar, después de confesar mis sentimientos y mis locas expectativas. Ni la oscuridad de la noche, ni el trueno que retumba, ni el viento que ruge, nada será obstáculo. Todo junto lo soporté al huir del enemigo. Las desgracias del siglo me han familiarizado a todos los sacrificios. Adiós a todos.

Tras estas palabras se dirigió con rapidez a la puerta, cuando la madre, estrechándola entre sus brazos y deteniéndola, dijo impresionada:

—¿Qué significa esta decisión y tus lágrimas? No, no te dejo partir; tú eres la prometida de mi hijo y no deseo otra.

El padre, descontento, miraba a la joven llena de lágrimas, y dijo con pesar:

—De modo que como premio a mi transigencia me proporcionas lo más desagradable que hay en el mundo, como es el lloriqueo de las mujeres y esos gritos apasionados que aturden y trastornan las ideas. Yo no puedo presenciar esta escena y me retiro a la alcoba.

Ya iba a ejecutarlo, cuando su hijo lo detuvo, diciendo en tono de ruego:

—Padre mío, no te precipites ni te molestas con esta pobre joven; yo he sido el único culpable de este incidente, que ha provocado este amigo burlando mi esperanza. Hable, hombre admirable, aclare todo, porque si no, perderá todo mi cariño y lo creeré capaz de torturar a sus amigos, más que a practicar los excelentes principios sabios y caritativos.

—¿Qué sabiduría ni qué claridad —dijo el pastor mientras sonreía—, hubieran logrado arrancar del corazón de esa encantadora joven la confesión que recién hemos oído, para revelarnos mejor el temple de su ser? ¿No se ha convertido tu tristeza en alegría? Habla tú mismo. Para nada necesitas la ayuda de nadie.

Entonces, Herman, al acercarse a Dorotea, le dijo con ternura.

—No te entristezcan las lágrimas que has derramado ni el pasajero dolor que ha victimado tu alma; todo eso sólo confirma mi suerte y espero que la tuya también. No fui a la fontana para proponer a la joven sin igual por bella y virtuosa, que nos sirviera de criada; fui allá para declararte mi amor; pero mis desconfiadas miradas no atinaron a descubrir las inclinaciones de tu corazón y sólo vi en tus ojos amistad cuando el reflejo del manantial me devolvió el saludo que dirigías. La sola idea de traerte a mi lado constituía para mí la mitad de mi felicidad. Ahora acabas de completarla y por ello, bendito sea este momento.

Ella alzó los ojos hacia el joven llenos de tierna emoción y aceptó el beso y el abrazo del amado, sublime delicia cuando es promesa de una dicha futura deseada durante mucho tiempo.

El pastor había explicado a todos los demás el incidente, pero la joven, con gracia, se acercó al padre, llena de afecto respetuoso, y besó la mano del viejo, que éste rápido retiró.

—Perdóneme —le dijo—, las lágrimas que el error me hizo derramar y las que ahora me arranca la alegría. Perdóneme los arrebatos de mi sentimiento. Deje que me dé cuenta de mi actual situación y pueda habituarme a la dicha que súbita me ha sorprendido. ¡Quiera Dios que este disgusto, causado por mi error, sea el último que le dé! Su nueva hija promete darle el servicio de una criada fiel y afectuosa.

El padre la abrazó y ocultó sus lágrimas. La madre se acercó a ella, la besó con ternura y estrechó las manos de Dorotea. Las dos mujeres lloraron en silencio.

Mientras, el virtuoso y prudente pastor se acercó a tomar la mano del padre y le arrancó, no sin esfuerzo, del gordo dedo, el anillo nupcial; tomó igualmente el anillo de la madre y desposó a los dos muchachos.

—Que estos anillos de oro formen la estrecha unión entre ustedes. Yo los uno en este momento y los bendigo por el resto de su vida, con el consentimiento de un padre y de una madre, y la presencia de nuestro amigo.

El vecino se acercó y les dio sus felicitaciones; pero al querer el pastor poner el anillo en el dedo de Dorotea, vio con asombro el otro anillo, que ya Herman había visto con inquietud en la fontana, y dijo.

—¿Cómo? ¿Es éste ya tu segundo compromiso? ¡Con tal de que el primer novio no se apersone en el altar para impedir la unión!

—Déjeme —repuso ella—, que dedique un momento a
este recuerdo: el hombre virtuoso que me lo entregó al partir bien lo merece. Cuando su amor a la libertad y el deseo
de unir sus esfuerzos a las generosas intenciones que se pre-
paraban lo llevaron a París, donde encontró la prisión y la
muerte, tenía ya el presentimiento de su destino.

"Vive feliz, me dijo, yo parto; todo se agita sobre la tierra
y todo parece listo a desmoronarse: las leyes fundamenta-
les de los estados son derrocadas; el antiguo patrimonio deja
a su propietario; el amigo abandona al compañero y el amante a su amada. ¡No sé si volveré a verte! ¡Quizá estemos
hablando por última vez! Se ha dicho que el hombre sólo es
un extraño aquí abajo y hoy más que nunca es verdad, tu
cielo ya no es nuestro. Las riquezas corren de manera for-
tuita; se funden oro y plata, y pierden su forma. Todo se
agita con desorden, como si el mundo actual hubiera caído
en el caos y pugnara por adquirir nueva construcción. Guar-
da tu amor para mí y si algún día volvemos a vernos entre
las ruinas del universo, quizá estemos ya regenerados por la
libertad y al abrigo de los caprichos del azar. ¿Qué poder se
atrevería a esclavizar a los que hubieran enfrentado semejantes pruebas? Mas si no evitamos los peligros, ni volvemos
a estar juntos, conserva por lo menos mi imagen en tu memoria y con la misma firmeza espera el destino propicio o
adverso.

"Si una nueva patria y una nueva necesidad te solici-
tan, acepta con gratitud lo que la fortuna te entregue y que
la prudencia sea guía de tus pasos. Ama honradamente a
los que te amen y a tu bienhechor; en tu nueva elección sé
prudente, sin exponerte a la triste posibilidad de una segunda pérdida. Y en tus días, no tengas a la vida más apego
que a los otros bienes, pues todos son engañosos por igual".

Ésas fueron las palabras de ese noble joven. Después perdí lo que tenía y a menudo he recordado sus consejos, aún los tengo en este momento. Perdona, generoso amigo, si al estrechar tu brazo todavía tiemblo. Soy como el náufrago, que hasta el terreno más sólido le hace vacilar.

Después de decir esto, colocó el anillo que acababa de recibir cerca del que ya tenía.

Pero Herman, de alma tan intrépida y tierna, dijo:

—Dorotea, que nuestra unión, en este trastorno general, sea por eso más firme y duradera; mostremos ánimo ante la desgracia y pensemos en conservar nuestra vida y nuestros bienes. Aquel que titubea en el peligro aumenta el desastre; pero aquel cuyo ánimo permanece inquebrantable, crea un mundo en el que reina. A nosotros, también alemanes, no nos conviene propagar ese estremecimiento terrible ni flotar al azar de un sitio a otro. Rindamos nuestro homenaje a los pueblos que se sublevan por la convicción contra la tiranía, y para proteger sus leyes, sus mujeres y sus hijos. Me perteneces y defenderé lo que es mío. El futuro de mis posesiones no me inquieta; hoy siento aún más inclinación hacia todas las cosas; pero si los enemigos nos amenazan, ven a darme mis armas y ayúdame a ponérmelas. Convencido de que cuidarás con esmero de mi padre, de mi madre y de mi casa, enfrentaría el peligro con un corazón intrépido. Y si todos nos animáramos del mismo sentido se opondría la fuerza a la fuerza y la paz sería causa de felicidad universal.

TÍTULOS DE ESTA COLECCIÓN

Impreso en los talleres
de Gráficas La Prensa, S.A. de C.V.
Prolongación de Pino No. 577
Col. Arenal 02980 México, D.F.